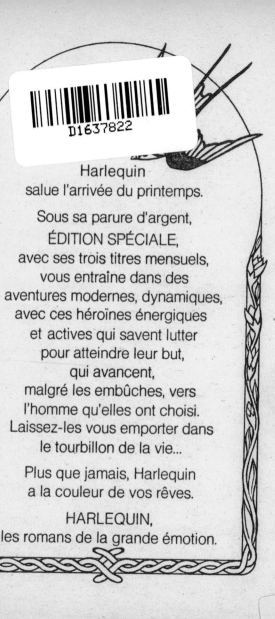

Harlequin
salue l'arrivée du printemps.

Sous sa parure d'argent,
ÉDITION SPÉCIALE,
avec ses trois titres mensuels,
vous entraîne dans des
aventures modernes, dynamiques,
avec ces héroïnes énergiques
et actives qui savent lutter
pour atteindre leur but,
qui avancent,
malgré les embûches, vers
l'homme qu'elles ont choisi.
Laissez-les vous emporter dans
le tourbillon de la vie...

Plus que jamais, Harlequin
a la couleur de vos rêves.

HARLEQUIN,
les romans de la grande émotion.

LINDA SHAW

Le rêve
de Victoria

HARLEQUIN

*Cet ouvrage a été publié en langue anglaise
sous le titre :*

ALL SHE EVER WANTED

*Publié originellement par .
Silhouette Books, New York*

© 1982, Linda Shaw
© 1986, traduction française : Edimail S.A.
53, avenue Victor-Hugo, Paris XVIe - Tél. 45.00.65.00.
ISBN 2-280-09098-8

Chapitre 1

C'était un de ces après-midi claires et humides de novembre, qui sentent l'hiver. Victoria Carroll fronçait les sourcils au-dessus de ses livres de comptes. Les longues colonnes de chiffres étaient inquiétantes. « Déprimantes » songeait-elle en secouant la tête. Kingspoint Bay se trouvait à quelques kilomètres de la côte atlantique de la Virginie. Cette année, l'Ecole de Jeunes Filles de Brayntree connaîtrait un hiver rigoureux. Victoria, directrice et unique responsable de l'établissement, avait commandé quarante stères de bois de chauffage.

— Vous avez augmenté le mètre cube de plusieurs dollars, n'est-ce pas, Gordon ?

D'une démarche gracieuse, elle se dirigeait vers l'un des nombreux bâtiments de pierre qui jalonnait la vaste pelouse entourant le château.

Gordon Smith, un garçon dégingandé de dix-huit ans, accourut à sa rencontre. Ses pas étaient étouffés par l'épais tapis de feuilles qui recouvrait l'allée. Il venait de décharger les dernières bûches et de refermer la porte du hangar.

— C'était inévitable, M'dame, assura-t-il avec un fort accent virginien. Ce vieux camion consomme de plus en plus. Il n'a pas l'air de se rendre compte du prix du gazoil.

Après un haussement d'épaules, il laissa errer son regard sur les fines bottes de cuir de la jeune femme, sa jupe de tweed, son pull-over beige et les ondulations cuivrées de sa chevelure. Ses yeux immenses étaient marron doré. Malgré la couleur de ses cheveux, elle ne possédait pas le teint pâle des rousses, mais un grain de peau lisse et rosé.

Victoria ne s'était jamais considérée comme une jolie femme. Pourtant, la finesse de ses traits conférait à son visage un charme et une féminité qui attiraient bien des regards. A vingt-deux ans, elle était déjà habituée à voir les hommes se retourner sur son passage.

Elle se racla brièvement la gorge, ce qui eut pour effet de tirer Gordon de sa rêverie.

— Bien sûr, s'empressa-t-il d'ajouter, je pourrais diminuer mes tarifs si j'avais de la main-d'œuvre pour m'aider à décharger.

Ses yeux se levèrent en direction des vitres du château. Une trentaine de visages étaient collés aux carreaux, regardant avec curiosité la scène qui se déroulait au-dehors. Lorsque Victoria redressa la tête à son tour, ils disparurent comme par enchantement.

Elle eut un petit rire.

— Continuez à travailler seul, Gordon, dit-elle en lui tendant un chèque. C'est beaucoup plus simple, croyez-moi.

Le jeune garçon exhala un bref soupir.

— Ma mère dit souvent que vous avez là les filles des meilleures familles du pays. Je ne sais pas si c'est vrai, mais en tout cas, je puis vous assurer que ce sont les plus jolies. Vous n'allez pas fermer l'école, n'est-ce pas, Miss Carroll ? Enfin, je veux dire...

— A cause de la mort de ma mère ?

C'était la première année que Victoria dirigeait le pensionnat sans le secours d'Helen Carroll. Après avoir divorcé de son mari, cette dernière avait ouvert l'Ecole de Jeunes Filles de Brayntree. Elle avait appris à Victoria tout ce qu'elle savait et avait insisté, en dépit de leurs énormes difficultés financières, pour qu'elle achevât sa licence d'enseignement. Mais elle n'avait pas vécu assez longtemps pour voir sa fille obtenir son diplôme. Un an avait passé depuis sa disparition. Un an de souffrances morales et matérielles ! Aujourd'hui encore, sa mère lui manquait cruellement.

Elle adressa un large sourire à son visiteur.

— Brayntree est devenue une institution, Gordon. Je ne fermerai pas l'école.

Ses frêles épaules se haussèrent, puis s'abaissèrent avec lenteur.

— Je continuerai à faire ce que j'ai toujours fait : je jonglerai avec les factures, je recommanderai à la cuisinière de réaliser des économies sur la nourriture et je prierai pour qu'aucun incident ne vienne grever notre budget. En tout cas, je vous remercie de l'intérêt que vous portez à l'école. Donnez le bonjour à votre mère de ma part. J'irai la saluer lors de ma prochaine visite à Williamsburg.

Elle regarda disparaître l'antique camion sur le pavé humide et embrassa d'un regard circulaire le vaste domaine qui était la propriété de sa famille depuis des générations. Le somptueux bâtiment avait été édifié par un Français, qui, à en croire la rumeur, avait dû fuir son pays pour des raisons politiques. Son architecture était parfaite. Erigé à l'entrée d'une presqu'île qui avançait dans l'océan, on eût dit un joyau serti dans le manche d'une épée.

Depuis sa plus tendre enfance, Victoria caressait le rêve de passer sa vie à Brayntree. Aujourd'hui, ce rêve était encore possible. En dépit des frais occasionnés par la gestion d'un aussi vaste établissement, elle parvenait tant bien que mal à joindre les deux bouts.

A quelques mètres d'elle, elle perçut le grincement de la porte d'entrée. Stéphanie, l'enseignante qui partageait avec Victoria la responsabilité de l'éducation des pensionnaires, avançait dans sa direction.

— On vous demande au téléphone, Victoria !

— Qui est-ce ?

— Je ne sais pas très bien. Un notaire du nom de Pennington, je crois.

Pressant le pas, Victoria gagna l'entrée du

château. Elle traversa un couloir et pénétra dans une vaste pièce, claire et richement meublée, qui lui servait de bureau.

S'installant dans un fauteuil, elle s'empara du combiné.

— Allô ?

— Miss Carroll ?

Elle entendit le son d'une voix grave, dans laquelle perçait la marque d'une éducation raffinée.

— Je suis Clifford Pennington, du cabinet Pennington et Associés. Mon étude se trouve à Williamsburg.

La gorge de Victoria se serra. Que lui voulait cet homme ? Son ton sentencieux ne prévisageait rien de bon.

— Je vous écoute, fit-elle en avalant péniblement sa salive.

— Mon client se nomme Elliot Carroll, reprit le notaire. Il demande à jouir de la part d'héritage que lui a léguée sa mère, Helen Carroll. Selon le testament de cette dernière, mon client serait propriétaire pour moitié d'une propriété située à Wingspoint Bay et communément appelée... euh...

Un bruit de pages tournées se fit entendre à l'autre bout du fil.

— Brayntree, souffla Victoria d'une voix sans timbre.

Elle sentit des larmes perler à ses paupières. Comme un lion flairant le danger, elle avait tout de suite compris que cet homme voulait sa perte.

— C'est exact, approuva son interlocuteur. Il faut à tout prix que vous m'accordiez un rendez-vous, Miss Carroll. Vous pourriez sans doute venir à mon cabinet, mais...

— Attendez, coupa-t-elle en contenant avec peine sa colère.

— Bien sûr, si vous disposez des liquidités nécessaires, vous pourrez en toute légalité racheter la part de mon client.

Elle avait la sensation d'avoir parcouru plusieurs kilomètres au pas de course. Sa respiration était haletante et le souffle commençait à lui manquer.

— Les liquidités nécessaires?

— Tout compte fait, il me semble préférable d'effectuer moi-même le déplacement. De cette façon...

— Attendez! répéta-t-elle d'une voix tremblante.

Alertée par le son de sa voix, Stéphanie glissa la tête à travers la porte du bureau.

— Que se passe-t-il, Victoria?

Elle lui intima le silence d'un signe de la main.

— Cela est tout à fait impossible, monsieur... euh...

— Pennington.

— Oui. Voyez-vous, monsieur Pennington, j'ai toujours su que mon demi-frère Elliot était lui aussi bénéficiaire du testament de ma mère. Mais nous avions convenu de régler entre nous cette affaire d'héritage.

— Je suis navré, Miss Carroll, mais mon client semble avoir changé d'avis. Il me demande, en toute légalité...

— Au diable la légalité, monsieur Pennington ! Je me moque des revendications d'Elliot. Il n'a jamais investi le moindre centime dans cette demeure. Puisque vous êtes en contact avec lui, dites-lui bien que je tiens à respecter la décision que nous avons prise ensemble le jour des funérailles de ma mère.

La voix du notaire se fit plus sévère.

— Miss Carroll, vous ne comprenez pas...

— C'est vous qui ne comprenez pas !

— Victoria ! souffla Stéphanie d'un ton alarmé.

La jeune femme recouvrit l'appareil de la paume de sa main.

— Elliot exige que je lui cède immédiatement la moitié du domaine, expliqua-t-elle, la mine défaite.

— Seigneur ! Qu'est-ce qui lui prend ?

Victoria se sentait dans la situation d'une mère menacée de perdre son unique enfant.

— Je suis désolée, Maître, reprit-elle avec tout le calme dont elle était capable. Je ne puis me rendre à votre cabinet et il est hors de question que vous fassiez intrusion au milieu de mes pensionnaires. Au revoir... ou plutôt adieu, monsieur Pennington.

Elle crut entendre grincer les dents de son interlocuteur.

— Ne raccrochez pas, Miss Carroll !

Cet ordre, proféré comme une menace, l'arrêta dans son geste.

— Si vous refusez de négocier avec moi ou si vous m'interdisez l'accès de votre propriété, j'obtiendrai sans mal un mandat de perquisition et je viendrai accompagné du shérif en personne. Vous n'avez pas le choix, Miss. N'oubliez pas que vous avez affaire avec la loi.

Cette dernière phrase lui parut si présomptueuse qu'elle se mit à nourrir pour le notaire un mépris sans borne.

— Je me moque de votre loi, lança-t-elle avec un accent de défi. Ce qui m'importe avant tout, c'est la justice. Ce sont deux choses tout à fait différentes.

— Votre légèreté risque fort d'aggraver la situation, répliqua-t-il sans élever la voix.

Son calme était désarmant. Une fois de plus, Victoria l'entendit feuilleter les pages de son agenda.

— Je serai à Brayntree demain matin à dix heures précises, dit-il. Un expert m'accompagnera. La propriété sera estimée à sa juste valeur et vendue selon son prix. Vous et M. Elliot Carroll partagez les bénéfices de la vente à parts égales.

— Tout cela est répugnant.

— Je comprends votre désarroi, Miss. Malheureusement, mon métier consiste à faire appliquer les lois de ce pays. A demain.

— Je... Attendez !

Mais il avait déjà raccroché. Effondrée, Victoria laissa retomber son visage dans ses mains.

— Cet homme est un...

Le regard luisant de colère, elle cherchait un qualificatif assez fort pour désigner son interlocuteur.

— Un mufle ? suggéra Stéphanie.

Victoria hocha lentement la tête.

— Un mufle doublé d'un hypocrite ! Seigneur, qu'allons-nous faire si Elliott obtient gain de cause ?

Le grincement de la poignée les fit se retourner. Une douzaine de pensionnaires se glissèrent discrètement dans l'encadrement de la porte. Leurs yeux étaient grands ouverts, leurs lèvres plissées, comme si elles s'attendaient à la venue d'un grand malheur.

— Eh bien ! s'écria Victoria en feignant la bonne humeur. Entrez, je vous en prie.

Une à une, elles pénétrèrent dans la pièce et s'installèrent en silence sur les chaises et les fauteuils qui entouraient la cheminée.

Essayant de chasser pour un temps de sa mémoire le souvenir de la conversation qu'elle venait d'avoir avec le notaire, Victoria s'assit à son bureau et chaussa ses lunettes.

— Votre cours de dessin est terminé pour aujourd'hui, dit-elle. Cathy, Doris, Sennica, allez ranger l'atelier, voulez-vous ?

Puis, jetant un coup d'œil à sa montre :

— Les autres peuvent sortir dans le parc. Le dîner sera bientôt servi.

Doris Everman, une adolescente de seize ans, fille et petite-fille de député, se leva de sa chaise.

Elle n'avait peur de rien et se faisait volontiers le porte-parole de ses camarades.

— Miss Carroll, il vient de se passer quelque chose d'important. Nous avons le droit d'en être informées.

— C'est vrai, approuvèrent d'autres voix à l'unisson.

Une seconde pensionnaire se leva afin d'être mieux entendue.

— Vous dites toujours que pour être traitées comme des adultes, nous devons nous conduire en tant que telles. Nous vous avons entendu crier, Miss. Qu'est-il arrivé ?

— Je ne criais pas, se défendit Victoria. J'ai simplement élevé un peu la voix.

Elle rencontra alors le regard accusateur de Betty Hallman. Ses élèves allaient toujours droit au but. Elle ne pouvait leur reprocher aujourd'hui une attitude qu'elle s'efforçait à longueur d'année de leur inculquer.

— Très bien, je serai franche avec vous. En réalité, je pense qu'il s'agit avant tout d'un problème de communication. D'ici peu, tout devrait rentrer dans l'ordre.

— L'école ne va pas fermer, n'est-ce pas ? interrogea Sennica Ferris, les sourcils froncés. Mon père n'acceptera jamais que j'aille dans un autre pensionnat que le vôtre. Il dit que depuis que je fréquente Brayntree, il peut enfin me présenter à ses amis sans avoir honte de mes mauvaises manières.

— Maman acceptera sans doute de doubler le

prix de la pension, offrit une âme généreuse. Elle ne jure plus que par vos méthodes d'éducation.

— La mienne également. Maintenant, je cuisine dix fois mieux qu'elle. Remarquez, ce n'est pas très difficile...

Un éclat de rire général accueillit cette dernière observation. Victoria dut faire appel à tout son courage pour ne pas laisser apparaître son désarroi devant ces visages pleins de confiance et de respect.

— L'école ne fermera pas, déclara-t-elle d'un ton qu'elle aurait voulu plus assuré. Je vous le promets.

— Alors, que se passe-t-il ? questionna Doris.

— L'un des propriétaires de Brayntree essaye de nous mettre les bâtons dans les roues. Mais il n'y a rien à craindre de lui. Demain, un notaire viendra au château pour évaluer le coût de la propriété.

— S'il ne s'agit que de cela, pourquoi ce coup de colère au téléphone ? observa Dina.

— Tu as raison, Dina. Je n'aurais pas dû sortir de mes gonds. Mais les phrases pompeuses de ce notaire m'ont un peu agacée.

— Oh, il s'agit sans doute d'un de ces vieux gratte-papier qui n'est même plus capable de reconnaître sa droite de sa gauche et qui...

— Doris, vous avez exactement un quart d'heure pour remettre de l'ordre dans l'atelier. Je vous conseille de ne pas perdre de temps.

— J'aimerais tout de même dire deux mots à cet individu, grommela l'adolescente en se dirigeant à contrecœur vers la sortie. Il porte sûrement un dentier et je parie qu'il est terrorisé par les femmes. Je lui ferais comprendre sans détours que nous n'avons que faire de lui à Brayntree.

Victoria essuya discrètement une larme qui menaçait de couler sur sa joue. Lorsqu'elle saisit son mouchoir, un silence de mort s'abattit dans la pièce. Honteuse, elle se moucha brièvement et détourna très vite la conversation.

— J'ai dû attraper un mauvais rhume, mentit-elle. A ce sujet, je voulais vous rappeler de commander des couvertures supplémentaires si vous en avez besoin. A partir d'aujourd'hui, nous essayerons de maintenir dans les chambres une température constante de dix-huit degrés, au lieu des vingt habituels. Prenez vos précautions et ne venez pas vous plaindre du froid. Le repas sera servi dans vingt minutes.

Quelques secondes plus tard, les pensionnaires s'égayaient dans les couloirs du château.

— Vous jouez la comédie à merveille, **Vic**toria, dit Stéphanie en s'approchant.

— Maman faisait cela si bien que je n'ai eu aucune peine à l'imiter. Pendant des années, elle est même parvenue à nous cacher sa maladie.

Sa voix se brisa comme un fil de soie. Stéphanie résista à l'envie de réconforter son amie. Elle savait que Victoria devait puiser en elle-même l'énergie nécessaire pour affronter la situation. Elle **seule** était capable de sauver Brayntree.

Comme si elle parvenait à lire dans ses pensées, la jeune femme se redressa sur son siège.

— Tout va bien, Steph, ne vous inquiétez pas. Je comprends que maman n'ait pas voulu léser Elliot de sa part d'héritage, mais tout de même, elle aurait pu songer aux problèmes que son désir d'équité risquait de nous créer. Je ne sais vraiment que faire. Peut-être devrais-je tenter de parlementer avec Elliot ?

— A votre place, j'attendrais plutôt de voir ce que nous veut ce Pennington. Après tout, Elliot n'est peut-être pas le seul coupable dans cette affaire.

Victoria secoua ses boucles rousses.

— Vous pensez à mon père ?

Puis, dans un geste négatif de la main :

— Non, je ne crois pas. Il est vrai qu'il n'a jamais un sou de côté, mais à mon avis, il n'est pas assez mauvais pour convaincre Elliot de récupérer à tout prix sa part d'héritage.

Stéphanie ne paraissait pas convaincue.

— Allons manger, dit-elle en prenant le bras de son amie. Nous nous sentirons mieux après un bon repas.

Depuis un an, il ne s'était pas passé un seul jour sans que Victoria ne se livrât à une inspection minutieuse des cuisines du château. Non qu'elle mît en doute l'application de Mamie Gardner, mais, à l'instar de sa mère, elle ne supportait pas que le moindre détail de la vie de Brayntree lui échappât.

Généralement, elle effectuait sa visite immédiatement après le breakfast matinal.

— Bonjour, Miss Carroll! s'exclama la fidèle servante en la voyant entrer. Vous voulez connaître le menu du déjeuner?

— Pardon? Euh... oui, Mamie, répondit-elle en songeant avec horreur que si elle ne parvenait à déjouer les manœuvres de Clifford Pennington un étranger la remplacerait bientôt dans son rôle de directrice.

D'un air absent, elle s'approcha du poêle à bois et tendit ses mains au-dessus de la plaque chauffante.

— Petits pois, pommes de terre et carottes coupées en dés, annonça Mamie avec fierté. Plus oignons frais du jardin cuits dans le jus du rôti d'hier soir. Un repas bon et pas cher, comme vous les aimez.

Victoria avait de la peine à fixer son attention sur les paroles de la cuisinière.

— Oui, c'est un repas de roi, approuva-t-elle.

— Pour une table de roi, enchaîna Mamie avec le sourire. Votre mère attachait une grande importance à la façon de dresser le couvert. Les nappes blanches, l'argenterie et les verres de cristal ont toujours été de rigueur à Brayntree.

La vieille servante n'exagérait en rien. Comme à l'accoutumée, les deux repas de la journée seraient servis à la manière des grandes maisons bourgeoises. Pour le dîner, les jeans étaient traditionnellement interdits. Les pensionnaires se présentaient dans la salle à manger vêtues de leurs plus beaux atours et les conversations se déroulaient avec réserve et discrétion. Un cérémonial cher au cœur de Victoria et qui était à deux doigts de s'éteindre à tout jamais !

— Miss Carroll, je vous demandais de consulter les menus de demain, fit Mamie d'un ton de reproche.

Victoria comprit qu'elle avait obligé la vieille dame à répéter sa question.

— Je... c'est inutile, bredouilla-t-elle avec embarras. Dressez-moi la liste des achats nécessaires jusqu'à jeudi, comme d'habitude.

— Entendu, marmonna la cuisinière.

Les sourcils froncés, elle regarda son interlocutrice disparaître dans le couloir. Miss Carroll semblait préoccupée. Jamais elle n'avait montré autant d'indifférence à son travail.

Victoria monta à l'étage supérieur. Ses appartements étaient exposés au sud. Le mobilier n'avait rien de somptueux, mais il était élégant et confortable. La gorge serrée, la jeune femme embrassa d'un regard circulaire le décor de sa chambre. Des larmes commençaient à obstruer sa vue. Combien de jours encore vivrait-elle dans cette demeure tant aimée ?

Incapable de supporter davantage ses sombres pensées, elle décida de sortir. Otant son tailleur strict, elle le déposa négligemment sur un dossier de chaise et enfila un survêtement gris et une paire de tennis.

Le sentier d'équitation était rarement utilisé depuis la mort d'Helen. Victoria songea qu'il serait peut-être sage de vendre les chevaux.

Comme elle courait le long du chemin, son

esprit fut de nouveau assailli par ses préoccupations. Quel recours lui restait-il face aux exigences d'Elliot ? Ne serait-il pas sage de téléphoner à Bryan Levy, le notaire de la famille, pour qu'il l'aide à faire prévaloir l'engagement moral qu'Elliot avait pris le jour des funérailles d'Helen ?

Depuis un an, tous ceux qui suivaient de près ou de loin ses activités ne cessaient de la décourager. A les entendre, la gestion d'un domaine si important ne pouvait être assumée par une femme seule. Si Victoria demeurait sourde à leurs avertissements, elle ne pouvait s'empêcher de concevoir quelque inquiétude sur sa situation. Toutes ses amies d'enfance étaient aujourd'hui mariées et la plupart avaient déjà donné le jour à des enfants. Resterait-elle jusqu'à la fin de ses jours le stéréotype de la directrice d'école austère et vieille fille ? C'était un cliché dont elle s'était allègrement moquée avec ses camarades d'université. Aujourd'hui, il lui semblait trop proche de sa propre condition pour la faire seulement sourire.

Pourtant, elle n'était pas différente des autres femmes. Souvent, la nuit, elle ne parvenait à trouver le sommeil, tant l'idée d'avoir un homme à ses côtés l'obsédait. Parfois même, elle rêvait qu'il lui disait : « ne t'inquiète pas, mon amour, je m'occuperai de tout ».

Peu d'hommes, il est vrai, avaient jusqu'à ce jour sollicité ses faveurs. Et aucun ne lui avait jamais proposé le mariage. Brayntree représentait un énorme écueil qui faisait réfléchir plutôt deux fois qu'une ses soupirants. Le seul homme qui ait eu une réelle importance à ses yeux l'avait placée devant un terrible dilemme en lui demandant de choisir entre lui et le pensionnat. Elle lui avait sèchement répondu que son choix était fait depuis longtemps.

Mais si elle se trouvait dans l'obligation de vendre le domaine, quelle perspective lui resterait-il dans l'existence, sinon la recherche d'un mari ?

S'appuyant contre un tronc d'arbre, la jeune femme tenta de reprendre son souffle. Lorsque sa tête retomba sur le côté, elle n'essaya pas de refouler les larmes qui ruisselaient sur ses joues. Elle se trouvait à plus d'un kilomètre du château et personne ne pouvait la voir pleurer.

— Seigneur, que vais-je bien pouvoir faire ?

Une fois rentrée à Brayntree, Victoria passa dans sa chambre pour se changer et gagna aussitôt son bureau. Peu après, elle reçut la visite de Stéphanie.

— Je serai soulagée quand cette matinée sera terminée, déclara cette dernière d'un air visiblement préoccupé.

Victoria passa une main dans ses cheveux.

— La visite du notaire ne devrait pas prendre beaucoup de temps. Aussitôt après son départ, je téléphonerai à Elliot et lui laisserai quelques jours pour réfléchir et se débattre avec sa conscience.

Incapable de trouver les mots qui auraient pu

procurer un peu de réconfort à son amie, Stéphanie déposa une pile de copies sur le bureau et jeta un coup d'œil au-dehors.

— Voilà le notaire, annonça-t-elle, le visage livide. Il est tout juste dix heures.

Victoria se précipita à la fenêtre et se mordit distraitement la lèvre inférieure. Une puissante Porsche noire marquait une halte devant le portail avant de s'engager dans l'allée conduisant au château.

L'espace d'un instant, elle sentit une vague de panique l'envahir. Elle plaça les paumes de ses mains sur ses joues brûlantes et abaissa les paupières.

Puis, adressant à Stéphanie un regard de détresse, elle balbutia :

— J'ai besoin d'un peu d'air frais.

Avant de sortir, elle s'empara d'une chemise en carton dans laquelle elle avait glissé une copie du testament de sa mère, l'acte de propriété de Brayntree ainsi que quelques dizaines de factures et de reçus. Puis, d'une démarche pesante, elle prit la direction de la porte principale.

Devant le perron, un espace recouvert de gravier offrait un parking à trois ou quatre voitures. Comme la jeune femme descendait le large escalier extérieur en direction de la petite cour, les rayons du soleil parurent se fixer aux contours de sa silhouette. Elle portait une robe bleu marine, resserrée à la taille par une ceinture blanche, et, pour tout bijou, un médaillon en or contenant une photo de sa mère défunte. Ses cheveux cuivrés scintillaient sous le halo de lumière vive.

— Miss Carroll ?

Après avoir effectué un virage impeccable, la Porsche s'était immobilisée en bordure de la pelouse. L'homme qui venait de quitter le siège du passager était sans nul doute Clifford Pennington. Il avait tout du parfait homme de loi : une calvitie naissante, un attaché-case et des chaussures noires soigneusement cirées. Son costume étriqué lui donnait une apparence chétive, presque maladive.

Avançant d'un pas, Victoria serra la main que le notaire lui tendait. Son compagnon, à l'évidence l'expert dont Pennington lui avait annoncé la venue, descendit à son tour du véhicule. Il offrait un aspect en tout point opposé à celui du notaire. Grand, svelte, le visage hâlé et les traits réguliers, il devait laisser bien peu de femmes indifférentes. Derrière ses lunettes de soleil, on devinait des yeux vifs et singulièrement pénétrants.

Impatiente de commencer l'entretien, Victoria reporta son attention sur le notaire.

— Je vous remercie de votre amabilité, Maître, prononça-t-elle avec une amabilité forcée. J'espère que nous pourrons régler cette affaire au plus vite. Je n'ai que très peu de temps à vous accorder.

Un léger embarras se peignit sur les traits de son interlocuteur. Profitant de l'avantage qu'elle semblait avoir acquis d'entrée de jeu, elle poursuivit avec fermeté :

— Avant toute chose, sachez que j'ai décidé de poursuivre mon frère devant les tribunaux. Il a violé un engagement verbal auquel j'avais souscrit en toute bonne foi. J'engagerai la procédure dès que j'aurai obtenu l'aval de mon avocat.

Une voix grave l'interrompit.

— Je comprends votre attitude, Miss, déclara le plus grand des deux hommes. Mais je crains que vous ne vous trompiez d'interlocuteur. Je suis Clifford Pennington.

Chapitre 2

La stupeur manqua de faire tomber la jeune femme à la renverse. Redoutant tout contact physique avec celui qu'elle considérait comme son pire ennemi, elle recula d'un pas. Sa botte glissa sur le gravier et les papiers qu'elle tenait dans la main se répandirent sur le sol.

Lorsqu'elle parvint à retrouver son équilibre, Clifford Pennington se pencha au-dessus d'elle. Dans la lumière matinale, ses pupilles semblaient parsemées de taches dorées. L'espace d'un instant, elle resta comme hypnotisée par la profondeur de son regard.

Cependant, la brise poussait ses papiers sur la pelouse. Elle parvint enfin à se ressaisir.

— Oh, mon Dieu ! s'exclama-t-elle en voyant les documents se mêler aux feuilles tombées des arbres.

Clifford posa un pied sur un document manuscrit qui n'était autre que la copie du testament d'Helen. Il le ramassa et le parcourut avec intérêt. Pendant ce temps, Victoria tentait de rassembler les autres feuillets. L'expert s'empressa de l'aider.

Derrière les vitres du premier étage, les trente pensionnaires observaient la scène avec amusement.

Une fenêtre s'ouvrit et Doris Everman se pencha au-dehors.

— Voulez-vous que je descende vous aider? proposa-t-elle joyeusement.

La manière dont Victoria se redressa suffit à faire taire l'effrontée. La fenêtre fut promptement refermée.

La jeune femme écumait de rage. Après cette brillante démonstration, Clifford Pennington ne la prendrait pas une seule seconde au sérieux.

Elle aurait sans doute éprouvé moins de craintes si elle avait pu lire à l'instant même dans les pensées du notaire. Le physique de Victoria l'avait agréablement surpris. Après leur conversation orageuse de la veille, il s'était attendu à rencontrer une femme d'une trentaine d'années, froide et robuste, aux chaussures plates et à la démarche lourde. Le genre de créature qui effraie la plupart des hommes.

En regardant Victoria se pencher pour ramasser ses papiers, il fut saisi d'admiration. Il lui paraissait impossible que tant de grâce puisse s'allier à une telle perfection. Un instant, il se demanda s'il n'était pas le jouet d'une illusion.

Comme une feuille rose se mettait à voler

près de lui, il fit un pas pour s'en emparer, sans pour autant perdre de vue le charmant spectacle que lui offrait la propriétaire du château.

Au même moment, Victoria aperçut à son tour le papier et fit un geste pour le saisir au vol. Tous deux comprirent que leurs corps allaient se heurter, mais ils n'eurent ni le temps ni le réflexe d'éviter la collision. L'épaule de la jeune femme vint frapper la jambe musclée du notaire. Pour ne pas perdre l'équilibre, ce dernier tendit un bras en avant, rencontrant sur son passage le visage de sa compagne d'infortune. La joue de Victoria subit de plein fouet ce nouveau choc.

Un cri étouffé jaillit de sa poitrine. Elle porta un doigt sur sa lèvre meurtrie, puis, découragée, se laissa tomber sur le sol.

Clifford s'agenouilla aussitôt à ses côtés.

— Pardonnez-moi, fit-il en examinant attentivement sa bouche. Vous ne saignez pas, n'est-ce pas ?

Il la prit par les épaules et l'aida à se relever. Quand sa douleur se fut quelque peu apaisée, Victoria prit soudain conscience de l'intimité de l'étreinte dans laquelle le notaire la maintenait. Ne parvenant à reprendre totalement ses esprits, elle se laissa griser un instant par l'odeur de son eau de toilette. Mais, après quelques secondes d'abandon, elle se souvint qu'elle se trouvait entre les bras de son pire ennemi.

— Je vais bien, maintenant, dit-elle en redressant la tête. Laissez-moi.

Refusant d'obéir, il tâta prudemment sa mâchoire.

— Arrêtez, vous me faites mal !

Il considéra avec ennui la lèvre de la jeune femme.

— C'est une jolie coupure, observa-t-il. Vos dents sont assurément aussi aiguisées que votre langue.

Sourd à ses protestations, il tira un mouchoir de sa poche et essuya le sang qui maculait sa bouche.

— Vous devriez mettre un morceau de glace sur la blessure, conseilla-t-il. Sinon votre bouche sera vilainement enflée demain matin.

Victoria prit une profonde inspiration.

— Ma bouche ne vous regarde pas, monsieur Pennington !

Un large sourire fendit le visage de Clifford.

— C'est bien dommage, soupira-t-il.

— Epargnez-moi ce genre d'allusions, voulez-vous.

A cet instant, l'expert reparut, tenant entre ses mains les feuillets manquants. Déçu de cette intrusion, Clifford esquissa une légère grimace, puis embrassa du regard le domaine de Brayntree.

Vingt-quatre heures auparavant, l'affaire qu'Elliot Carroll lui avait confiée, lui apparaissait claire comme de l'eau de roche. Aujourd'hui, elle semblait prendre un tour étrangement complexe. Victoria Carroll était la femme la plus désirable qu'il ait jamais rencontrée.

Faye Chambers, sa fiancée, serait sans doute profondément attristée si elle savait combien la vue de Victoria avait troublé le jeune homme. Mais il se garderait bien de lui expliquer les raisons d'un attrait dont il était incapable de comprendre lui-même l'effet irrésistible et spontané.

Les deux heures qui suivirent furent pour Victoria un véritable supplice. Elle se conduisait comme un fantôme, avec des gestes qui lui semblaient totalement indépendants de sa volonté. Incapable de contrôler ses pensées ou de fixer son attention sur un objet quelconque, elle se contenta de respirer sans bruit pour tenter de survivre à cette pénible épreuve.

Comme les deux hommes parcouraient en tous sens la propriété, la cloche du pensionnat sonna les douze coups de midi. Heureuses de retrouver leur liberté, les trente pensionnaires dévalèrent bruyamment les escaliers en direction de la salle à manger. Au passage, Doris Everman se heurta à la silhouette de Victoria.

— C'est un dieu, Miss Carroll ! Il n'a pas de fausses dents et ne porte pas de perruque. Enfermez-le dans le grenier, je lui monterai ses repas.

Victoria était appuyée contre la bibliothèque du vestibule, rêvant avec horreur au jour où des hordes d'acheteurs s'abattraient sur le château. Déjà, elle les imaginait en train de tâter l'épaisseur des rideaux, d'évaluer la valeur du mobilier, laissant sur leur passage des traces de boue et claquant les portes avec désinvolture.

— Pardon ? fit-elle dans un sursaut.

— Je disais que Maître Pennington faisait battre le cœur de toutes vos pensionnaires. Quelque chose ne va pas, Miss ?

Victoria esquissa un pâle sourire.

— Non, non, Doris, tout va bien. Je suis simplement un peu fatiguée.

L'adolescente la considéra d'un œil sceptique.

— Je vais demander à Mamie de vous préparer un plateau. Je vous l'apporterai moi-même.

— Hum ? Oh oui, c'est très gentil de votre part, Doris. Merci.

Seule à nouveau, Victoria s'approcha de la fenêtre et son regard tomba sur la Porsche de Clifford. « Tu te conduis comme une idiote » souffla une petite voix dans son cerveau. Jusqu'à ce jour, elle avait obstinément refusé de croire à l'existence du coup de foudre. Pour elle, une épouse se devait d'aimer son mari et ses enfants avec tendresse et raison. Elle songeait toujours au mariage comme à une sorte d'absolu dont son esprit s'ingéniait à effacer tous les aspects purement charnels. Dans son ignorance, l'amour que l'on donnait à un homme ressemblait à celui qu'elle avait porté à sa mère pendant de longues années.

Quelques heures plus tôt, son étreinte accidentelle avec Clifford Pennington avait suscité en elle d'étranges sensations. Elle rougit à cette évocation et, désireuse de songer à autre chose, se rendit d'un pas décidé dans son bureau.

Comme la porte grinçait derrière elle, elle lança sans même se retourner :

— Posez le plateau sur la table, Doris. Merci.

Personne ne lui répondit. Aussitôt, elle pressentit la présence de Clifford. Le sang se mit à bouillonner dans ses veines et tout lui apparut sous un jour nouveau : les bruits, le décor, la lumière, jusqu'au craquement des bûches dans la cheminée.

Affichant un masque de froideur, elle pivota sur ses talons et fit face à son interlocuteur.

Ils se trouvaient l'un et l'autre aux deux extrémités de la pièce, sans esquisser un seul mouvement. Victoria affrontait son regard avec courage, sans ciller.

Puis, incapable de supporter davantage la tension qui s'était instaurée, elle se décida à prendre la parole la première.

— En avez-vous terminé avec l'évaluation du domaine, monsieur Pennington ?

— Presque, répondit-il. Soyez assurée que je m'efforcerai de préserver au mieux vos intérêts.

— Vraiment ? questionna-t-elle d'une voix acerbe.

Elle eut un geste de scepticisme.

— Ma mère m'a toujours appris à ne compter que sur moi-même. Surtout lorsque la tempête éclate de toutes parts et que les rats quittent le navire.

Clifford se racla la gorge et fixa avec embarras le regard sur les flammes de la cheminée. Elle ne fit rien pour le mettre à l'aise et ne lui offrit pas même un siège.

— L'expert n'en a plus pour très longtemps, reprit-il après un temps. Je vous enverrai le résultat de ses estimations dès qu'il me l'aura transmis.

Elle eut un rire amer.

— A votre avis, quelle somme peut bien valoir la tombe de ma mère ?

Il fut incapable de répondre à tant de détresse. La jeune femme se plaça derrière son bureau et rangea avec des gestes automatiques les papiers qui s'y trouvaient.

— Savez-vous que la plomberie est dans un état déplorable ? Que chaque hiver le four menace d'exploser ? Et le personnel ? L'avez-vous pris en compte dans vos estimations ? Deux femmes, trois hommes et un professeur...

Elle se laissa tomber sur sa chaise.

— Je suis endettée jusqu'à la fin de mes jours, monsieur Pennington. Les frais de fonctionnement de...

— Victoria...

Elle eut un mouvement de recul. Plus encore que son intransigeance, elle redoutait sa sympathie.

— Envoyez-moi ces papiers, dit-elle comme pour rétablir entre eux une distance nécessaire. Et informez mon frère du résultat de votre visite. Je me charge de régler mes propres affaires.

Elle redressa la tête et ajouta :

— Ne vous attendez pas à une quelconque collaboration de ma part, monsieur Pennington. Je ferai tout ce qui est en mon pouvoir pour empêcher Elliot de parvenir à ses fins.

Le notaire parut soudain extrêmement fatigué. Il sortit une carte de visite de sa poche intérieure, avança jusqu'au bureau et la déposa dans la main de Victoria. Il referma les doigts de la jeune femme sur le carré de papier et maintint sa main serrée sur la sienne.

— Si vous avez le moindre problème avec les banques...

Elle ouvrit la bouche pour l'interrompre, mais il lui intima le silence.

— J'ai un réseau de relations assez dense. Certains de mes amis pourraient considérer Brayntree comme un excellent investissement. De toute façon, si vous avez besoin de moi, n'hésitez pas à m'appeler.

Avant que ses larmes ne la trahissent, Victoria retira sa main et tourna la tête en direction de la fenêtre. Comme tout aurait été simple s'il n'avait pas été qu'un homme de loi !

Le regard de Clifford embrassa une dernière fois le bureau. Sur le manteau de la cheminée, il aperçut une photo de la jeune femme. S'assurant qu'elle ne le voyait pas, il retira habilement le cliché de son cadre et le glissa dans sa poche.

La porte se referma avec un petit bruit sec. Les épaules de Victoria s'affaissèrent. Avec un peu de chance, elle ne le reverrait jamais, sauf peut-être le jour du jugement. Avec un peu de chance, elle ne connaîtrait que quelques nuits d'insomnie.

Refusant de le voir partir, elle quitta le bureau et se rendit dans sa chambre. Là, personne ne verrait les larmes qui ruisselaient sur ses joues.

Chapitre 3

Deux cent mille dollars !

Des colonnes de chiffres s'alignaient sur la lettre à en-tête que Victoria tenait entre ses doigts tremblants. Seule dans son bureau, la jeune femme parcourut pour la dixième fois la longue liste de caractères. Elliot Carroll avait le droit de revendiquer la coquette somme de deux cent mille dollars sur la valeur estimée de Brayntree. Au bas de la lettre, Clifford Pennington avait apposé sa signature, d'une écriture ferme et arrogante. Avec l'extrémité de son ongle, Victoria retraça le dessin de sa plume.

Une semaine s'était écoulée depuis sa venue au château et son image la poursuivait jour et nuit, sans qu'elle parvînt à remettre de l'ordre dans la confusion de ses pensées.

Les chiffres établis par Ed Barnes, l'expert, étaient sans nul doute incontestables. Et cette constatation ne lui laissait que trois recours, tous aussi douteux les uns que les autres. Persuader Bryan Levy, le notaire de la famille, à engager une procédure judiciaire à l'encontre de son demi-frère ; essayer de trouver Elliot et de le faire revenir sur sa décision ; obtenir une source de financement et racheter la part de son co-héritier.

Froissant nerveusement la lettre, Victoria s'approcha de la fenêtre et se perdit dans la contemplation des arbres entourant le domaine. Lorsque Stéphanie pénétra dans la pièce, elle resta immobile.

— Lire et relire cette lettre des centaines de fois ne servira à rien, déclara son amie.

— Je ne puis m'en empêcher. Je n'arrive pas à accepter qu'un tel malheur s'abatte sur Brayntree.

— Tout cela n'est pas de votre faute, Victoria. Je suis persuadée que vous faites tout ce qui est en votre pouvoir pour nous tirer de ce mauvais pas. Donnerez-vous votre leçon de couture ou préférez-vous que j'envoie les élèves au gymnase ?

Victoria se retourna, le dos voûté et les épaules basses.

— Je ne me sens pas d'humeur à leur inculquer le goût du travail bien fait. A vrai dire, je me demande si je ne ferais pas mieux de les renvoyer chez elles. A moins que je ne me pende tout bonnement à un arbre pour mettre fin à cette horrible torture.

Stéphanie remarqua la pâleur extrême du teint de son amie. Son pantalon de tweed flottait sur ses hanches et des cernes profonds creusaient le contour de ses yeux.

Elle ôta la lettre des mains de Victoria et la posa sur le bureau.

— Parlons sérieusement, fit-elle avec énergie. Par où avez-vous décidé de commencer ?

— Je suppose que je vais faire le tour des banques. Me voilà une fois de plus dans l'obligation de mendier auprès de ces rapaces.

Stéphanie retira un paquet de cigarettes de sa poche. Elle en alluma une et souffla une bouffée de fumée en direction du plafond.

— Vous devriez charger Bryan Levy de cette affaire, conseilla-t-elle. Il connaît bien son métier et...

— Il est si vieux que je me demande parfois comment il parvient à soulever ses dossiers.

Stéphanie haussa les épaules.

— Adressez-vous à quelqu'un d'autre.

— Maman n'aurait pas aimé cela.

Victoria plongea le regard dans les yeux de son amie. Depuis le début de la conversation, elle sentait que cette dernière avait quelque chose à lui confier. Après un instant d'hésitation, elle se décida enfin à parler.

— Je connais Clifford Pennington, confessa-t-elle.

Victoria tentait de ranimer le feu en ajoutant du petit bois dans la cheminée. La révélation de Stéphanie l'arrêta net. Elle se retourna, tenant le pique-feu au bout du bras, comme elle aurait brandi une arme.

— Pourquoi ne m'en avoir rien dit jusque-là ?

Stéphanie considéra avec attention la cendre rougeoyante de sa cigarette.

— Je l'ignorais avant de le voir. Son nom ne me disait rien. J'ai connu une femme qui sortait avec lui, il y a de cela plusieurs années.

Victoria reposa le pique-feu sur le marbre de la cheminée.

— Il s'agissait d'une bonne amie à vous ? interrogea-t-elle d'un ton désinvolte.

— Euh... oui.

Victoria exhala un soupir d'impatience.

— Eh bien, vous êtes plutôt avare de confidences.

Stéphanie éteignit sa cigarette et rajusta le pli de sa robe, faisant comprendre par ce geste qu'il lui fallait maintenant regagner sa classe.

— Leur relation a rapidement tourné court, j'ignore de quelle façon. Mon amie pensait qu'ils allaient se marier. Mais je doute que cela vous intéresse.

— Vous avez raison, mentit Victoria. Ce Pennington est un de ces play-boys habitués depuis leur plus tendre enfance à voir satisfaits tous leurs caprices. Il peut bien avoir des douzaines d'aventures, je m'en moque éperdument.

Marquant une halte sur le pas de la porte, Stéphanie se retourna.

— Puisque vous le dites, dit-elle sans beaucoup de conviction. Je tenais simplement à vous mettre en garde contre cet homme. Ce n'est sans doute pas le seul cœur qu'il ait brisé.

Victoria se força à sourire.

— Vous lisez trop de romans-photos, Steph. Si vous persistez dans ce fâcheux travers, je me verrai obligée de prévenir vos parents.

Stéphanie riait encore lorsqu'elle referma la porte derrière elle. Victoria, elle, ne riait pas. Serrant les poings contre son corps, elle regagna son bureau et parcourut une dernière fois la lettre de Clifford.

Le bureau de Bryan Levy reflétait parfaitement sa personnalité de notable de province. Victoria ne lui avait pas rendu visite depuis la mort de sa mère, un an auparavant.

Des photographies de ses enfants et petits-enfants ornaient les murs de la pièce. Dans le hall d'entrée, le visiteur était accueilli par les portraits austères de ses ancêtres. Les Levy étaient notaires de père en fils depuis des générations.

— Je crois que vous n'avez aucune crainte à avoir pour votre succession, observa joyeusement Victoria en ôtant sa veste de cuir.

Le vieil homme éclata de rire.

— Vous avez raison. Le nom des Levy n'est pas prêt de s'éteindre. Avouez qu'il serait dommage de changer la plaque qui orne l'entrée de cette étude !

Victoria choisit un siège près de la fenêtre. Comme elle l'avait prévu, l'hiver s'était installé rapidement. Le ciel de Williamsburg était gris et terne. Un léger brouillard enrobait les façades des immeubles.

Après le transfert à Richmond de la capitale de

la Virginie, Williamsburg avait amorcé un dangereux déclin. La fortune de John D. Rockefeller n'avait pas été de trop pour préserver la réputation de la ville. Des gens comme Bryan Levy s'efforçaient de perpétuer la tradition. Ils vivaient la plupart du temps dans le passé et leur conception des bonnes manières avait le plus souvent un siècle de retard.

Aussi, Victoria s'appliqua-t-elle à ôter ses gants un à un avant de les poser sur son sac à main. Après quoi, elle se tint bien droite sur son siège, car son hôte était sensible à la bonne tenue des personnages du sexe faible. Il était de ceux qui jugeaient indigne de voir des femmes s'exposer à moitié nues au soleil ou de les entendre employer un langage trop vulgaire.

Le tailleur de cachemire de Victoria était irréprochable, ses ongles parfaitement manucurés et son maquillage suffisamment discret pour préserver l'image qui faisait d'elle l'un des piliers de la tradition dans la ville.

Comme le vieil homme savourait l'un de ses inévitables cigares, elle lui fit en quelques minutes le récit de ses déboires.

— Il doit exister un recours, fit-elle en guise de conclusion. J'ai rendu visite à tous les banquiers de la ville. Tous ont paru me considérer comme une extraterrestre. On ne prête pas deux cent mille dollars à une femme qui ne possède aucune source de revenus, et célibataire de surcroît.

Bryan Levy secoua la tête, comme s'il approuvait tout à fait l'attitude des banquiers en la matière.

— Le jour des funérailles de maman, Elliot et moi avions convenu de ne rien faire qui puisse mettre en péril l'existence du pensionnat, reprit la jeune femme. Il n'a pas respecté son engagement et je suis prête à le traîner en justice s'il le faut.

— Je ne crois pas que votre frère tienne particulièrement à vous causer des ennuis. Il doit avoir besoin d'argent. Les temps sont durs.

— Et moi ? N'ai-je pas besoin d'argent ?

— Qu'en pense Maître Pennington ?

Elle eut une moue de mépris.

— Pennington ? A mon avis, cet homme n'a aucune conscience professionnelle.

— Clifford Pennington ? répéta Bryan Levy d'un air incrédule. Il est têtu, je l'admets, mais il applique la loi à la lettre. Je connais bien ce garçon.

— Vous en parlez comme s'il avait quinze ans.

— Il est né le même jour que notre David, fit-il en pointant le doigt sur une photographie accrochée au mur. Croyez-moi, c'est un brave garçon. Il donne des cours à l'université William and Mary. Le recteur est ravi de le compter parmi ses professeurs. Il paraît qu'il est en train d'écrire un livre.

Impatiente, Victoria quitta son siège et se mit à arpenter nerveusement la pièce. Lorsqu'elle voulut ouvrir la bouche pour revenir au sujet de sa visite, le vieil homme reprit de plus belle :

— La mère de Clifford était une Philmore. La fille de Stephen Philmore. Nous avons assisté, ma femme et moi, au mariage de Madeline avec Ethan Pennington. C'était une fête splendide. Ils avaient fait venir des centaines de bouquets de fleurs de Richmond. A mon avis, ils se sont montrés quelque peu excessifs. A l'époque, il y avait à Williamsburg un fleuriste tout à fait honorable. Enfin, voyons... où en étais-je ? Ah oui, Ethan a créé ce cabinet de notaire avec son frère. Il y a une quarantaine d'années de cela. La plupart des maisons de la ville n'avaient pas l'électricité en ce temps-là. Quelle merveilleuse époque ! Je m'en souviens comme si c'était hier. Et il m'arrive souvent de penser que...

— Monsieur Levy...

— Oui, pardonnez-moi, je m'éloigne du sujet.

Il rapprocha sa chaise du bureau et chaussa ses petites lunettes. Soulagée, Victoria songea qu'il allait enfin réfléchir avec elle au moyen de sauver Brayntree du désastre qui le menaçait. Elle se trompait.

— Clifford s'est trouvé une ravissante fiancée, une certaine Faye Chambers. J'ignore quels sont ses ascendants du côté de sa mère, mais je sais que son grand-père paternel a été maire de la ville pendant plusieurs années. Je ne me souviens plus à quelles dates exactement.

Il lui adressa un sourire d'excuse.

— Il faudra que je vérifie. Ma mémoire commence à me jouer des tours.

A bout de nerfs, Victoria s'empara de sa veste.

Elle ne pouvait lui expliquer pourquoi elle préférait que Clifford Pennington demeurât pour elle un parfait étranger. La révélation de ses fiançailles lui avait infligé une profonde douleur. Elle tenta d'enfiler ses gants, mais ses doigts tremblaient tant qu'elle dut y renoncer.

Voyant qu'elle s'apprêtait à partir, Bryan Levy fronça les sourcils.

— Pardonnez-moi, bredouilla-t-elle confusément. J'ai un autre rendez-vous dans quelques minutes.

Elle se leva rapidement.

— Vous ne voulez pas que j'écrive à Elliot pour tenter de trouver un arrangement à l'amiable ? suggéra le notaire en se redressant à son tour. Cette démarche prendra un certain temps, mais si elle aboutit, elle nous évitera les désagréments d'une procédure judiciaire. Surtout ne vous inquiétez pas, je m'occupe de tout.

Cet homme avait été pour Helen un ami proche et un conseiller précieux. Il se préoccupait sincèrement de l'avenir de Brayntree, Victoria le savait.

Elle avala sa salive avant de lui répondre.

— J'ai peut-être la possibilité d'obtenir un prêt sur des capitaux privés, expliqua-t-elle d'une voix monocorde. Je vous informerai du résultat de mes démarches. Pour l'instant, ne... n'entreprenez rien auprès d'Elliot, je vous en prie.

— Comme vous voudrez, fit son interlocuteur.

Il contourna son bureau pour l'accompagner jusqu'à la porte.

— Malgré tout, je ne saurais trop vous engager à suivre les conseils de Clifford. Songez à toutes les possibilités qui vous seraient offertes si vous vendiez le château. Vous pourriez vivre tranquillement jusqu'à la fin de vos jours, en étant débarrassée à jamais des soucis que vous cause le pensionnat.

Victoria ne prit pas la peine de lui répondre. Elle franchit le seuil et, après un bref salut, s'engouffra dans l'ascenseur.

Trouverait-elle le courage d'accepter l'aide de Clifford Pennington? Ne trahirait-elle pas la mémoire de sa mère en agissant de la sorte? Helen avait toujours su conserver une stricte indépendance. Jamais elle n'aurait accepté que le sort du pensionnat dépendît du bon vouloir d'un étranger.

Pourtant, Victoria savait qu'elle n'avait pas le choix. Vivement préoccupée, elle regagna sa voiture et prit sans plus tarder la direction de Brayntree.

— Je n'ai pas confiance en vous, Maître Pennington, fit-elle à voix haute. Je préfère encore perdre la partie que de faire appel à votre prétendue générosité.

Elle roula pendant une vingtaine de minutes, puis, revenant sur sa décision, rétrograda et arrêta sa jeep sur l'accotement. Elle laissa retomber son front sur le volant.

« Pourquoi tergiverser, ne cessait de répéter une petite voix au fond de son cerveau. Ou tu acceptes l'offre de Pennington ou tu renonces définitivement à la survie du pensionnat. Il n'y a pas d'autre alternative. »

La perspective d'une nouvelle rencontre avec Clifford lui nouait l'estomac. Aspirant une longue bouffée d'air, elle remit le contact et fit demi-tour sur la chaussée. Quelques kilomètres plus loin, elle stoppa devant une cabine téléphonique, fouilla son sac à main à la recherche de la carte de visite que Clifford lui avait remise et composa d'une main tremblante le numéro du notaire.

— Cabinet Pennington...

— Je voudrais parler à Maître Pennington, déclara courageusement Victoria.

— Je suis navrée, Miss, mais Maître Pennington est absent. Il passe la journée à l'université. Voulez-vous lui laisser un message ?

— Pardon ?... Euh... non, je vous remercie. Je rappellerai demain.

Sachant que si elle ne le voyait pas le jour même elle reviendrait une nouvelle fois sur sa décision, la jeune femme se dirigea résolument vers l'université. Elle n'eut aucune peine à localiser la salle où se trouvait Clifford. A travers la porte vitrée, elle l'aperçut, négligemment appuyé contre son bureau. Il portait un jean et une veste de sport ouverte sur un pull-over à col roulé. Une vingtaine de jeunes filles le dévoraient des yeux, tandis que les garçons l'écoutaient avec respect.

Ne sachant comment attirer son attention, elle pénétra silencieusement dans la salle. Percevant un léger flottement parmi ses élèves, Clifford tourna la tête vers la porte et l'aperçut aussitôt.

— Victoria !

La jeune femme regrettait amèrement sa démarche. Elle s'apprêtait à tourner les talons pour s'enfuir, lorsque la porte s'ouvrit sur un étudiant qui arrivait tout essoufflé, lui barrant le passage.

— Bonjour, monsieur Pennington ! s'exclama le jeune garçon.

Il jeta un regard étonné à la ravissante créature qui se trouvait en face de lui puis alla prendre sa place dans l'amphithéâtre.

— Bonjour, Jeff, répondit Clifford.

Tout en parlant, il s'était approché de Victoria. Celle-ci coula un regard désespéré en direction de la sortie. Elle hésitait à prendre ses jambes à son cou pour mettre le plus de distance possible entre elle et le notaire, quand la main du jeune homme se posa sur son avant-bras.

— Vous vouliez me parler ?

— Je.. j'ai changé d'avis.

Il la toisa un long moment et cet examen attentif ne fit qu'accroître son malaise.

— Laissez-moi le temps de renvoyer mes étudiants et nous pourrons bavarder tout à loisir.

Considérant l'affaire comme réglée, il fit mine de s'éloigner. Aussitôt, Victoria voulut reprendre son chemin vers la sortie.

— Ne bougez pas ! ordonna-t-il sans même se retourner.

Ces mots la clouèrent sur place.

— Je... je ne peux pas rester, Maître. Je reviendrai un autre jour.

Les sourcils froncés, il revint sur ses pas.

— Je m'appelle Clifford, déclara-t-il avec colère. Vous avez besoin de moi. Mais votre orgueil vous empêche de l'admettre.

— Je ne veux pas de votre aide.

— La volonté et la nécessité sont deux choses bien différentes.

Elle redressa fièrement la tête.

— Retournez à vos étudiants, dit-elle. Ils ont versé beaucoup d'argent pour recueillir votre précieux enseignement.

— Cela ne les empêche pas d'apprécier les récréations imprévues. Attendez-moi là.

— Rien ne m'oblige à vous obéir. Personne ne s'oppose donc jamais à votre autorité ?

— Non, personne... A part vous !

Chapitre 4

La maintenant fermement par le bras, Clifford l'obligea à le suivre au-devant de l'estrade.

— C'est votre fiancée ? s'enquit un étudiant.

Victoria sentit ses joues s'empourprer. Si Clifford éprouvait le moindre embarras, il sut le dissimuler à la perfection.

— Malheureusement non, répondit-il. Miss Carroll est une cliente et les règles de notre profession ne nous permettent pas d'exiger la main des jolies femmes qui sollicitent nos services. Je suis convaincu que l'inverse constituerait pour beaucoup d'entre vous un solide aiguillon pour l'obtention du diplôme.

Un éclat de rire parcourut l'assistance. Clifford laissa quelques secondes s'écouler avant de poursuivre.

— Vous pouvez rentrer chez vous, annonça-t-il. Mais n'oubliez pas que les examens ont lieu dans deux semaines. Vous seriez bien avisés de commencer sans tarder vos révisions.

Une joyeuse clameur salua ses paroles. Les

étudiants rangèrent leurs livres et leurs cahiers et se dirigèrent en masse vers la sortie.

Clifford escorta la jeune femme hors de l'établissement. Lorsqu'ils sortirent sur le parking, il sembla à Victoria que la température avait encore baissé. Le corps parcouru de frissons, elle tenta de suivre la démarche rapide de son compagnon.

— Je ne voudrais pas vous faire perdre votre temps, fit-elle d'une voix essoufflée. Donnez-moi le nom de vos amis susceptibles de disposer de capitaux à placer et je me chargerai de les contacter. Je vous ferai part du résultat de mes recherches.

Il secoua la tête.

— Non, ce ne serait pas une bonne façon d'agir. Les investisseurs se méfient des personnes étrangères à leur milieu. Dans un premier temps, c'est à moi de prendre contact avec eux. Où est votre voiture ?

— Là-bas ?

Elle pointa le doigt en direction de la jeep vénérable stationnée à une vingtaine de mètres de l'endroit où ils se trouvaient. L'état de ses ressources ne permettait pas à Victoria d'acquérir un véhicule plus conforme à l'image de l'institution qu'elle dirigeait. De plus, l'antique guimbarde revêtait à ses yeux une importante valeur sentimentale. Sa mère l'avait achetée plus de vingt ans auparavant, à l'époque où elle passait son permis de conduire.

Clifford fit la grimace.

— Vous avez quelque chose contre les jeeps ? demanda-t-elle.

— Oui, tout, absolument tout.

Il remonta le col de sa veste et lui prit la main.

— Venez.

Quelle arrogance chez cet homme ! Sans même lui demander son avis, il la conduisit jusqu'à son propre véhicule. A l'évidence, une Porsche correspondait mieux à son standing et à ses habitudes de vie. Sans mot dire, elle se glissa sur le siège du passager et referma sa portière.

Au bout de quelques kilomètres, la Porsche s'immobilisa sur le bas-côté de la route. L'arrêt du moteur fit sursauter la jeune femme. Elle n'avait pas ouvert la bouche depuis leur départ, trop occupée qu'elle était à essayer de démêler l'écheveau de ses pensées. Un nom revenait sans cesse au milieu de ses préoccupations : celui de Faye Chambers. L'idée de l'engagement qui la liait à Clifford lui était intolérable.

Avant sa rencontre avec le notaire, elle avait toujours blâmé ceux ou celles qui venaient semer le trouble dans le bonheur d'un couple. Aujourd'hui, elle n'était pas loin de réviser son jugement et cette pensée l'emplissait de honte et de dégoût.

Etouffant soudain dans l'espace étroit de la Porsche, elle tendit la main pour ouvrir sa portière. Mais Clifford arrêta son geste.

— Décidément, c'est une manie. Que vous ai-je fait cette fois encore ?

— Rien, je... je me sens un peu à l'étroit ici.

Son compagnon exhala un long soupir.

— Quand vous déciderez-vous à me faire confiance ? Croyez-moi, je ne vous veux aucun mal. Je n'aspire au contraire qu'à vous aider. Allons, dites-moi ce qui ne va pas.

Le dos raide, Victoria s'appuya contre le dossier de son siège.

— Vous ne pourriez pas comprendre, murmura-t-elle après un temps. Je vous en prie, donnez-moi le nom de vos amis et restons-en là. Je dois retourner m'occuper de mes pensionnaires. Je les ai un peu négligées ces derniers temps.

— Je me sens parfaitement capable de vous comprendre, insista Clifford.

Elle secoua vivement la tête.

— Comment pouvez-vous être aussi sûre de vous ? poursuivit son compagnon. Encore une fois, vous refusez de m'accorder votre confiance. Vous êtes persuadée que je ne songe qu'à vous prendre dans mes bras et à vous embrasser.

Une vive confusion se peignit sur les traits de la jeune femme.

— De toute façon, enchaîna Clifford, le visage impassible, nous ne faisons que repousser l'inévitable. Car un jour ou l'autre, je vous embrasserai, vous le savez aussi bien que moi.

— Non, Clifford, protesta-t-elle timidement.

Il ne prêta aucune attention à ses paroles.

— Je ne dis pas cela à la légère, Victoria. Des années durant, j'ai pensé que quelque chose ne fonctionnait pas en moi. Aujourd'hui, je sais ce qui m'a toujours manqué. Dès notre première rencontre, il s'est produit comme un déclic dans mon cerveau. Le destin vous a placée sur mon chemin et je n'ai pas l'intention de laisser échapper cette chance.

Elle se racla la gorge, tentant de refouler le nœud d'angoisse qui l'obstruait.

— Depuis la disparition de ma mère, j'ai appris que les sentiments sont une chose fragile, capable des fluctuations les plus imprévisibles. Aujourd'hui, je ressens une peine profonde pour la femme à laquelle vous avez fait le serment d'unir votre vie. Je ne la connais pas et je n'ai aucun désir de la connaître. Mais cette peine est plus forte que tout ce que je pourrai jamais éprouver pour vous.

Elle se tut. Malgré elle, elle venait de lui dévoiler le secret de son cœur.

Clifford gardait les yeux rivés sur son volant.

— J'ignore qui a pu vous informer de ma relation avec Faye, fit-il après un long silence. Cela n'a aucune importance. Elle n'a rien à voir avec ce qui se passe entre nous.

— Elle existe, Clifford. Et pour l'heure, vous êtes assis auprès de moi, en train de me faire part de pensées qui n'auraient jamais dû voir le jour dans votre esprit. Tout cela m'inspire un profond malaise. Je vous en prie, ramenez-moi à ma voiture.

Il ne fit aucun geste pour lui obéir.

— Ma liaison avec Faye n'est pas du tout ce que vous pensez.

— Vous êtes sur le point de l'épouser, et vous avez l'audace de soutenir que...

— Que quelque chose de tout à fait imprévisible vient de se produire dans mon existence. Je n'ai pas recherché ce qui est arrivé !

Il remuait nerveusement sur son siège, ses doigts crispés sur le sommet du volant.

— Vous aviez raison tout à l'heure : on étouffe dans cette voiture. Allons faire quelques pas, voulez-vous ?

Après un instant d'hésitation, la jeune femme consentit à le suivre. Ils marchèrent pendant près d'une heure, sans rencontrer âme qui vive. La menace de l'orage avait incité les habitants de Williamsburg à rester chez eux.

La conversation porta tout d'abord sur le montant du prêt susceptible d'éviter la mise en vente du château. Puis ils abordèrent la question de la gestion du domaine. Quand Clifford lui conseilla d'engager un comptable, elle réagit sèchement à cette suggestion.

— Je n'ai besoin de personne pour tenir mes livres de compte ! s'écria-t-elle. Je me suis fort bien tirée d'affaire jusqu'à présent.

— Pardonnez-moi.

Non loin de l'endroit où ils avaient laissé leur véhicule, une petite mare servait de refuge à une multitude de volatiles. Victoria sortit de sa poche un morceau de pain rassis qu'elle avait découvert le matin même sous la banquette de sa jeep.

— Je vais donner à manger aux canards, dit-elle.

— Je ne voudrais pas vous contrarier, Victoria, mais si nous ne regagnons pas la voiture immédiatement, nous risquons fort d'être surpris par l'averse.

S'emparant de sa main, il l'entraîna à l'abri d'une rangée d'arbres qui longeait l'étroit sentier conduisant à la Porsche. Malgré l'approche de l'hiver, leur feuillage offrait encore une protection suffisante contre la pluie.

Soudain, Clifford marqua une halte et, avant qu'elle ait eu le temps de prévoir son geste, il attira la jeune femme contre lui. Résistant au désir qu'elle avait de s'abandonner à son étreinte, elle le repoussa avec douceur.

Une pluie violente commençait à s'abattre sur le paysage.

— Je ne veux faire de mal à personne, expliqua-t-elle d'une voix rauque.

Mais Clifford refusa de s'avouer vaincu. Timidement, il se pencha, effleurant de ses lèvres la bouche de sa compagne. On eût dit qu'il se mettait lui-même au défi de respecter l'engagement qui le liait à Faye Chambers.

Victoria cessa de se débattre. Goûtant avec délices au parfum de son baiser, elle laissa une douce chaleur envahir son corps. Les mains de Clifford allaient et venaient délicieusement sur son dos. Peu à peu, elles s'enhardirent et s'insinuèrent sous l'étoffe de sa veste, se rapprochant insensiblement de sa poitrine frémissante.

Victoria eut un brusque mouvement de recul.

— Je vous en supplie, murmura Clifford d'une

voix enrouée. Laissez-vous faire. J'ai tant envie de vous.

Essayant de dissimuler le trouble que lui procuraient ses caresses, elle se raidit entre ses bras.

— Embrassez-moi si vous voulez. Mais je vous en supplie, ne m'en demandez pas plus.

Elle posa les mains sur son torse et tenta de le repousser.

— Je ne voudrais pas que vous vous fassiez de fausses idées à mon sujet, bredouilla-t-elle encore. Je... ce baiser est pour moi sans importance et...

— Vous mentez mal, Victoria, fit le jeune homme en souriant. Mais regagnons la voiture avant d'être complètement trempés.

Elle l'approuva d'un signe de tête et le suivit en courant jusqu'à la Porsche. Serait-il réellement criminel de sa part de tomber amoureuse de Clifford Pennington ? Après tout, n'avait-elle pas droit, elle aussi, à un peu de bonheur ?

Au lieu de faire demi-tour, Clifford prit la direction du centre ville.

— Et ma voiture ! s'indigna Victoria. J'en ai besoin pour retourner à Brayntree.

— Plus tard, répondit-il simplement.

Une lumière rouge se mit à clignoter dans le cerveau de la jeune femme. Que signifiait tout cela ? Où l'amenait-il ?

— Clifford, je vous en prie, retournons à l'université.

Sans répondre, il arrêta la Porsche devant une longue allée bordée de peupliers.

— Où sommes-nous ? demanda-t-elle.

A l'extrémité de l'allée se dressait une somptueuse bâtisse. Elle était entourée d'une immense pelouse parsemée de massifs de fleurs soigneusement entretenus.

— Cela ne prendra qu'un instant, dit Clifford. Nous sommes ici chez moi. Je dois prendre quelques papiers afin de vous fournir les coordonnées exactes de mes amis.

Une angoisse obscure tenaillait la poitrine de Victoria. Elle n'aurait jamais pensé qu'il oserait l'entraîner aussi vite chez lui.

— Dans ce cas, dépêchez-vous, répliqua-t-elle avec fermeté. Je vous attendrai dans la voiture.

Clifford fronça les sourcils.

— Laissez-moi au moins vous offrir un verre.

Puis, jetant un coup d'œil en direction du garage :

— Tiens, Devon est à la maison, ajouta-t-il comme en se parlant à lui-même.

— Mais je suis dans un état lamentable, protesta Victoria. Je ne voudrais rencontrer personne de...

— Vous êtes très bien ainsi, coupa-t-il. De toute façon, nous ne ferons qu'entrer et sortir.

Le regard de Victoria se durcit.

— Vous devez être sourd. Je vous ai dit que je préférais rester dans la voiture. Pour qui me prenez-vous ? Vous auriez au moins pu me prévenir avant de m'amener ici.

Comme si de rien n'était, le notaire descendit de voiture, fit le tour du capot et se pencha pour lui ouvrir sa portière.

Victoria comprit qu'elle n'avait pas le choix. De la maison, on pouvait observer tous leurs faits et gestes. Une dispute n'aurait servi qu'à attirer l'attention sur elle.

Elle s'extirpa de son siège avec colère.

— Vous êtes insupportable, marmonna-t-elle. Jamais je ne me suis sentie aussi... aussi...

— Aussi désirable, acheva-t-il avec nonchalance. Il n'existe pas au monde de femme plus ravissante que vous.

Avec la même autorité dont il avait usé pour la forcer à rester dans l'amphithéâtre, il l'entraîna en direction du perron.

Lorsqu'ils pénétrèrent dans le hall, une voix de femme s'éleva depuis une pièce voisine.

— C'est toi, Clifford ? Faye et moi t'avons cherché dans toute la ville.

Quelques secondes plus tard, Victoria se trouvait nez à nez avec la mère de son compagnon. Les premiers mots qui lui vinrent à l'esprit furent : « je viens d'embrasser votre fils, tout en sachant qu'il était promis à une autre ». Ses pieds restaient cloués au sol, comme s'ils voulaient l'empêcher d'effectuer le moindre mouvement.

En dépit de ses soixante ans révolus, Madeline Pennington était une femme d'une rare élégance. Il y avait de la grâce dans chacun de ses gestes et une réelle beauté sur ses traits fins et distingués, à peine marqués par quelques rides qui ne faisaient qu'accroître l'intelligence et la sensibilité inscrites dans tout son être.

Ses sourcils parfaitement dessinés se haussèrent en signe de surprise.

— Oh, tu n'es pas seul. Entrez, je vous en prie.

Clifford embrassa tendrement la joue de sa mère.

— Je suis navré d'être en retard, maman. Voici Miss Carroll. Nous sommes venus prendre un dossier dans mon bureau. Tu disais que Faye était là ?

Victoria sentait des picotements fiévreux courir le long de sa nuque. Jamais elle ne s'était trouvée dans une situation aussi embarrassante. Elle mourait d'envie de prendre ses jambes à son cou pour s'enfuir le plus loin possible de cette maison.

— Je ne voudrais pas vous déranger, monsieur Pennington. Nous nous occuperons de ces papiers une autre fois. Il n'est même pas utile que vous me rameniez à l'université. Je peux fort bien...

Un muscle tressaillit sur la mâchoire de Clifford.

— J'ai retenu Miss Carroll beaucoup trop longtemps, déclara-t-il d'un air désolé. J'espère que nous pourrons au moins lui offrir une tasse de thé. Papa est parti pour Richmond ?

— Non, il a remis son voyage à demain, répondit Madeline en adressant à la jeune femme un sourire radieux. Mais je manque à tous mes devoirs, Miss Carroll. Entrez, je vous en prie.

Avant qu'elle ait eu le temps de répondre, la maîtresse de maison glissa un bras sous celui de son fils. La mort dans l'âme, Victoria dut se résoudre à leur emboîter le pas.

— Je commençais à m'inquiéter, mon chéri. Ed Barnes nous a conduit, Faye et moi, à votre nouvelle maison. Plus je la vois, plus elle me semble idéale pour vous deux. J'ai hâte que l'acte de vente soit signé.

— Maman...

— Nous avons rapporté des échantillons de tapisseries. Nous ne voulions pas les choisir sans toi.

Ils venaient d'atteindre une vaste pièce confortable et richement meublée. Résignée, Victoria affichait sur ses lèvres un sourire de circonstance. Comment Clifford pouvait-il l'obliger à faire intrusion de cette façon dans sa vie privée ?

— Je ne vous pardonnerai jamais de m'avoir attirée dans ce guet-apens, glissa-t-elle à son oreille alors qu'il l'invitait à pénétrer dans le salon.

Un feu de bois crépitait dans la cheminée. D'énormes bouquets de fleurs étaient disposés aux quatre coins de la pièce. A leur entrée, deux hommes se levèrent. Mais Victoria n'avait d'yeux que pour une jeune femme gracieusement assise dans un fauteuil de velours jaune pâle.

Faye Chambers était d'une beauté parfaite. Sa féminité et son charme se retrouvaient dans les moindres détails de son visage qu'entourait une couronne de cheveux d'or. Son teint était si frais, son maquillage si soigné, qu'on aurait pu la prendre pour un modèle de magazine.

Mais ce qui ressortait avant tout de sa silhouette, c'était une impression de grande fragilité. Victoria ne pouvait l'imaginer vêtue d'un jean et chaussée de bottes en caoutchouc, errant dans des chemins boueux ou effectuant des travaux de plein air. Elle ne la voyait pas davantage en train d'embrasser un étranger sous une pluie battante.

Absorbée dans ses réflexions, elle ne prêta qu'une oreille distraite aux explications de Clifford concernant son retard et la manière dont ils avaient été surpris par l'orage. D'ailleurs, elle s'en moquait éperdument. Elle n'avait qu'une envie : fuir cette maison et cette assemblée familiale au milieu de laquelle elle se faisait l'effet d'une intruse et d'une taîtresse.

— N'est-ce pas, Miss Carroll ?

Victoria sursauta.

— Je... je vous demande pardon ? Je n'ai...

— Tu te souviens de l'affaire Brayntree, papa. Je t'en ai parlé l'autre jour. Mon client séjourne actuellement en Autriche.

— Oh oui ! s'exclama Ethan Pennington. Je m'en rappelle maintenant. Et cette ravissante personne est la partie adverse. Il me semble avoir jadis rencontré votre mère, Miss Carroll.

Ethan Pennington possédait une carrure aussi impressionnante que celle de son fils. On devinait en lui une grande force de caractère et une autorité incontestable.

— Es-tu certain que tout cela est bien légal, Cliff ?

Les yeux de Victoria se portèrent sur le frère cadet de Clifford. Devon était un garçon séduisant, plus fin et en apparence plus fragile que son aîné.

— Que veux-tu dire ? questionna Clifford en prenant place dans un fauteuil faisant face à la cheminée.

Faye s'approcha de lui et se percha gracieusement sur le bras du fauteuil.

— Je n'ai pas ton expérience, déclara Devon en faisant signe à Victoria de lui remettre sa veste. Mais crois-tu réellement qu'un notaire puisse entretenir des relations amicales avec deux parties adverses, sachant qu'il devra nécessairement faire prévaloir les intérêts de l'un ou de l'autre ?

— Dans la mesure où il n'y a pas corruption et où aucun des adversaires ne s'estime lésé, je ne vois pas où est le problème, assura Clifford.

Devon déposa soigneusement la veste de Victoria sur le dossier d'une chaise.

— Accepterez-vous une tasse de café, Miss Carroll ? Je dois vous avertir que si vous refusez, je sors de cette maison en courant pour me jeter sous les roues de la première voiture venue !

D'emblée, Victoria avait décelé une lueur de sympathie dans son regard. Il lui semblait que ses yeux lui disaient : « ne vous laissez pas impressionner par ma famille. Détendez-vous et tout ira bien ».

— Si c'est ainsi, j'accepte bien volontiers,

répondit-elle avec le sourire. Je ne voudrais pas être responsable d'une tragédie.

Madeline Pennington se leva aussitôt, déclarant qu'elle allait préparer des boissons chaudes pour tout le monde.

— Je viens avec vous, décréta Faye en lui emboîtant le pas.

L'entente et la complicité qui semblaient régner entre les deux femmes brisaient le cœur de Victoria. Plus le temps passait, plus elle se sentait de trop dans cette maison. En son for intérieur, elle avait vaguement espéré que Clifford se fût lourdement trompé dans le choix de sa fiancée, au point que cette dernière ne pût mériter aucune indulgence de sa part. C'était loin d'être le cas.

Durant le quart d'heure qui suivit, la courtoisie de ces hôtes mit les nerfs de la jeune femme à rude épreuve. Sa langue, habituellement si prompte à se délier, n'était plus capable que de monosyllabes. Lorsque les deux femmes revinrent, elle accepta poliment sa tasse de café.

Affichant un sourire de façade, elle s'efforça de retracer l'histoire de Brayntree et de relater de façon plaisante la vie du pensionnat. Elle éprouvait toutes les peines du monde à arracher son regard des doigts que Clifford tenait posés sur la taille de Faye Chambers.

Ayant joué comme il convenait son rôle d'invitée, elle se réfugia dans une réserve souriante, laissant à ses hôtes la maîtrise de la discussion.

— En réalité, nous hésitons entre trois modèles de tapisserie, disait Madeline en feuilletant un gros livre d'échantillons qu'elle venait de déposer sur les genoux de son fils.

Faye se pencha pour examiner le papier peint par-dessus l'épaule de Clifford.

— Cela me rappelle l'époque où nous nous sommes installés ici, poursuivit la maîtresse de maison à l'adresse de son mari. Tu t'en souviens, Ethan ?

Un éclair chaleureux traversa le regard de ce dernier. Il semblait vouer un profond amour à sa femme. Se rapprochant d'elle, il glissa un bras autour de sa taille et lui sourit.

Le cœur gros, Victoria contemplait le spectacle de cette famille heureuse et unie. Elle qui n'avait pas connu de véritable foyer ressentait plus douloureusement que jamais sa solitude. Une irrésistible envie de pleurer lui nouait la gorge. Elle abaissa les paupières et fit de son mieux pour ne pas se départir de son sourire de circonstance.

— Le boudoir est la seule pièce qui me pose réellement un problème, dit Faye à l'adresse de Clifford. Aimez-vous ces motifs chinois, mon chéri ? Nous pourrions accrocher des rideaux jaune pâle aux fenêtres et commander un lustre à Canton. Melford m'a assuré que le délai de livraison ne dépassait pas un mois.

— Dites-moi, Miss Carroll...

Surprise par cette interpellation, Victoria sursauta. Devon s'était approché ostensiblement de son siège. Tout dans son attitude donnait à penser qu'il recherchait un moyen de lui faire la cour. Clifford observait son frère d'un air maussade.

Pour se venger de l'égoïsme du notaire, Victoria adressa au cadet des Pennington un sourire radieux.

— Je vous écoute, l'encouragea-t-elle aimablement.

— Vous n'avez que des jeunes filles à Brayntree, n'est-ce pas ? Vous ne préféreriez pas les échanger de temps à autre contre des garçons ?

Pensive, la jeune femme plissa le front. Puis elle croisa gracieusement les jambes et leva les yeux sur Devon.

— Quand mes pensionnaires sont sages et studieuses, Brayntree est un véritable paradis, confessa-t-elle à voix basse, comme si elle souhaitait poursuivre le dialogue avec lui seul.

Elle appuya son menton sur la paume de sa main et laissa échapper un petit rire léger.

— Mais lorsqu'elles ont décidé de n'en faire qu'à leur tête, l'ambiance devient rapidement insupportable. Je pense en effet qu'elles sont plus difficiles à éduquer que les garçons.

La tasse de Madeline tomba sur le sol avec un bruit délicat de porcelaine brisée. Ethan Pennington se redressa vivement. Une pâle auréole de café colorait la moquette. Avant que quiconque ait eu le temps de réagir, Faye s'agenouilla près de sa future belle-mère, épongeant avec sa serviette les fines gouttelettes qui ruisselaient sur sa robe et murmurant à son oreille des propos rassurants.

Victoria se raidit sur son siège. Elle se demandait ce qui, dans ses paroles, avait pu déclencher ce surprenant incident.

— Ethan? murmura Madeline d'une voix presque enfantine.

— Tout va bien, ma chérie. Ce n'est rien. Je vais t'accompagner dans ta chambre.

Une légère plainte jaillit des lèvres de sa femme.

— Je me conduis vraiment comme une idiote.

Ethan l'aida à se lever. Glissant un bras sous ses épaules, il adressa à Victoria un sourire courtois.

— Nous avons été très heureux de faire votre connaissance, Miss Carroll. Vos visites seront toujours les bienvenues. Pardonnez-nous de vous fausser aussi brusquement compagnie.

— Je vous en prie, bredouilla-t-elle en priant Dieu de ne plus la laisser remettre un pied dans cette maison.

Songeuse, elle regarda le couple s'éloigner. Rien dans ce qu'elle avait perçu depuis son arrivée ne pouvait laisser pressentir la scène qui venait de se dérouler. Quel drame secret se cachait donc au sein de cette famille en apparence heureuse et sans histoire?

Comme s'il devinait la confusion de ses pensées, Devon s'agenouilla auprès d'elle.

— C'est de ma faute, dit-il. J'ai parlé sans réfléchir.

Sans se soucier des règles de la bienséance, la

jeune femme s'empara de sa veste et fit mine de se diriger vers la sortie.

— Je dois absolument partir. Vous me remettrez cette liste une autre fois, monsieur Pennington.

Faye était occupée à ranger les tasses à café sur un plateau. Son visage ne trahissait aucune émotion. On eût dit que cet incident ne revêtait à ses yeux aucun caractère extraordinaire.

— Non, attendez, je vais vous la chercher, s'exclama Clifford.

Il adressa à Victoria un regard lourd de sens. Devon, qui les observait attentivement depuis leur arrivée, parut se douter de quelque chose.

— Si tu veux, je pourrais ramener Miss Carroll chez elle, Cliff, proposa-t-il.

Victoria secoua la tête.

— Oh non, ce n'est pas la peine de vous déranger, bredouilla-t-elle.

— Mais cela ne me dérange en aucune manière, assura Devon avec le sourire.

— Je crois que je vais rentrer, moi aussi, intervint Faye Chambers de sa voix mélodieuse. Pouvez-vous me déposer, Cliff chéri ? Je n'ai pas pris ma voiture aujourd'hui, c'est votre mère qui m'a amenée ici. Cela ne vous ennuie pas, n'est-ce pas ?

— Pas du tout, répondit-il complaisamment. Reprenez vos échantillons. Je crains de ne pas vous avoir été d'un précieux conseil.

Elle lui assura gentiment que cela n'avait aucune importance. Victoria aurait aimé gifler le notaire. Il n'avait pas le droit de lui imposer un tel spectacle. La vue de ce couple d'ores et déjà acquis à la vie commune lui déchirait le cœur.

Devon lui prit délicatement le bras et l'entraîna vers la fenêtre.

— Je crois que nous vous devons quelques explications, dit-il. Surtout, ne vous sentez en aucune façon responsable de ce qui vient de se passer. Maman souffre de fréquents accès de dépression. Nous faisons de notre mieux pour la distraire de ses pensées, mais ce n'est pas toujours possible. Clifford et moi avions une sœur autrefois. Elle est morte il y a un an.

— Oh, je suis désolée, s'exclama Victoria en avalant péniblement sa salive.

— Maman ne s'est pas remise de sa longue agonie, poursuivit Devon.

Il exhala un bref soupir avant d'achever.

— Il n'y a que Faye qui parvienne à ramener un peu de joie dans son cœur.

— Faye ? répéta la jeune femme d'une voix sans timbre.

— Elle était très amie avec Lisa. Elle a pratiquement grandi dans cette maison. Maman a en quelque sorte transféré sur elle l'amour qu'elle portait à Lisa. Son mariage avec Clifford est son vœu le plus cher.

Victoria comprit alors que le jeune homme n'était pas dupe de la relation qui existait entre elle et Clifford. Elle comprit aussi que cette relation n'avait pas d'avenir. Une femme pouvait toujours tenter d'en remplacer une autre dans le cœur d'un homme. Mais s'opposer à la volonté d'une mère était une bataille perdue d'avance.

— Pourquoi me dites-vous tout cela? murmura-t-elle.

— Dès que je vous ai vue entrer dans cette pièce, j'ai deviné que vous n'étiez pas une simple cliente pour mon frère. Je voudrais que vous sachiez que Clifford ne fera rien qui puisse briser le cœur de notre mère.

Les paupières de la jeune femme s'abaissèrent. Elle se sentait incapable d'en entendre davantage. La journée avait été rude et elle était impatiente de retrouver la solitude de sa chambre.

— Je dois partir maintenant, articula-t-elle dans un pâle sourire.

— La vie n'est pas toujours facile, n'est-ce pas?

De l'autre extrémité de la pièce, Clifford lui fit signe de le suivre dans son bureau.

— Cela ne prendra qu'un instant, Devon, dit-il en quittant le salon.

Comme un pantin privé de volonté, Victoria lui emboîta le pas. Elle savait maintenant que sa relation avec Clifford resterait sans lendemain. Jamais elle ne trouverait la force de s'opposer aux desseins d'une mère ou de lui causer la plus petite souffrance.

Chapitre 5

Victoria avait attendu avec impatience le moment où elle pourrait enfin libérer sa rancœur et dire crûment à Clifford ce qu'elle pensait de ses façons d'agir. Mais lorsque la porte du bureau se referma, ses reproches restèrent bloqués au fond de sa gorge. L'aveu de sa jalousie n'aurait servi qu'à flatter l'orgueil du jeune homme. Elle préféra se taire et lui cacher ses sentiments.

Contrairement à ce qu'elle avait imaginé, Clifford vivait dans un cadre accueillant et chaleureux. Les murs de la pièce étaient tapissés de photographies et le sol recouvert de tapis bigarrés.

— Vous devez m'en vouloir atrocement, dit-il comme s'il parvenait à lire dans ses pensées. Je vous assure que je n'avais rien prémédité. Je ne pensais vraiment pas trouver Faye à la maison.

Lorsqu'il s'approcha, elle eut le sentiment d'être prise au piège.

— Vous ne me devez aucune explication, articula-t-elle d'une voix tremblante.

Sans même l'écouter, Clifford passa une main sur sa taille et l'attira contre lui. Elle se débattit avec énergie.

— Comment osez-vous ?...

Soudain un bruit la fit sursauter. Se retournant, elle vit un chat noir se faufiler avec majesté à travers la fenêtre entrouverte. Il traversa tranquillement la pièce et vint se frotter aux jambes de la visiteuse.

Victoria se baissa, prit le chat dans ses bras et le tint devant elle comme un bouclier.

— Ne me touchez pas, gronda-t-elle.

Elle n'avait aucune idée de l'émotion que sa grâce et sa beauté suscitaient chez le notaire. Il regrettait sincèrement de lui avoir fait subir une telle épreuve.

— Victoria, écoutez-moi.

— Je ne vous ai déjà que trop écouté. Donnez-moi cette liste et finissons-en. Je veux rentrer chez moi.

Au fond d'elle-même, elle rêvait de l'entendre dire que ses fiançailles avec Faye n'étaient qu'une mise en scène destinée à distraire sa mère du chagrin que lui avait causé la mort de Lisa. Si tel avait été le cas, il n'aurait pas manqué de mettre à profit ces quelques instants de solitude pour lui révéler toute la vérité. Au lieu de cela, elle vit son visage se renfrogner.

— Vous n'êtes qu'une sotte, déclara-t-il sèchement en prenant place derrière son bureau.

Il ouvrit un tiroir et en exhiba un épais dossier. Profondément blessée par son attitude, Victoria voulut lui rendre son insulte.

— Stéphanie avait raison, dit-elle en redressant fièrement le menton. Vous n'êtes pas un individu fréquentable.

Les yeux de Clifford parurent la transpercer comme deux lames de couteau.

— En effet, approuva-t-il d'un ton sarcastique. Je suis le diable incarné. Je séduis toutes les jeunes filles qui croisent mon chemin pour le seul plaisir de leur infliger un cruel chagrin d'amour.

— Oh, taisez-vous ! s'écria-t-elle sans parvenir à se contrôler davantage. Vous savez très bien ce que j'ai voulu dire. Comment osez-vous trahir aussi impudemment une femme qui a placé en vous toute sa confiance ? Et votre mère ? Vous n'éprouvez donc aucun sentiment envers ceux qui vous entourent ?

Clifford repoussa vivement sa chaise et vint se planter à moins d'un mètre d'elle. On voyait son cœur battre à grand coups sous la fine étoffe de sa chemise. Il arracha sans ménagement le chat des bras de la jeune femme, happa violemment sa taille et l'attira tout contre lui.

— Co... comment osez-vous ? hoqueta-t-elle, le souffle coupé et les jambes tremblantes. Ici, dans cette maison ?

Les doigts de Clifford s'enfoncèrent douloureusement dans sa chair. Elle tenta en vain d'échapper à son étreinte.

— Mes sentiments ? articula-t-il d'une voix rauque. Que savez-vous de mes sentiments ?

— Lâchez-moi, vous me faites mal !

Un rictus haineux déforma la bouche du notaire. L'espace d'un instant, Victoria eut peur de la violence contenue dans son regard. Les yeux brouillés de larmes, elle lutta de toutes ses forces et parvint enfin à se libérer. Mais avant qu'elle ait pu atteindre la porte, elle sentit sa main agripper avec force son poignet.

— Je vous en supplie, ne partez pas, murmura-t-il en l'obligeant à lui faire face.

Il embrassa ses yeux, ses joues, comme s'il voulait tarir le flot des larmes qui jaillissait de ses paupières. Puis il saisit son visage entre ses deux mains et la contempla longuement, cherchant à percer le secret de ses pensées.

Victoria avait abandonné toute résistance. Lorsque leurs lèvres s'unirent, elle rejeta la tête en arrière en laissant échapper un gémissement de bonheur.

— Retrouvons-nous plus tard, chuchota-t-il d'une voix enrouée. Ce soir, où vous voudrez.

Victoria secoua la tête en signe de refus.

— Attendez-moi au château, insista-t-il. Je viendrai, je vous le promets.

— Non... Non, ce ne serait pas bien. Je ne peux pas.

— Victoria, si vous le désirez autant que moi, rien ne nous en empêche. Je vous rejoindrai sur le parking de l'université.

Au même moment, un bruit les fit se retourner. Devon se racla la gorge avec embarras.

— Je suis sincèrement désolé, s'excusa-t-il en promenant son regard de l'un à l'autre. Je ne sais jamais quoi faire en pareille circonstance. Ressortir de la pièce et frapper avec insistance ou bien improviser une plaisanterie et faire semblant de n'avoir rien vu ?

Songeant qu'elle ne tarderait pas à devenir folle si elle s'attardait une minute de plus dans cette maison, Victoria se baissa pour ramasser son sac à main tombé à terre au moment de sa lutte avec Clifford. En se redressant, elle vit les deux hommes échanger un regard lourd de sens. Elle comprit alors que Devon aimait profondément son frère et qu'il en savait certainement plus sur sa relation avec Faye que Clifford lui-même.

— Je t'avais averti, Cliff, fit Devon avec douceur. Cela devait arriver un jour.

Clifford parvenait à grand-peine à conserver son sang-froid.

— Je t'en prie, épargne-moi tes leçons de morale, Devon, rétorqua-t-il avec tout le calme dont il était capable. Tu ferais mieux de rester en dehors de cette histoire.

Devon exhala un bref soupir.

— Que je le veuille ou non, je suis concerné par ce qui se passe entre vous. Quant à Victoria, j'estime qu'elle devrait en savoir davantage. Une complice à le droit d'être informée de la nature du crime auquel elle est mêlée, tu ne crois pas ?

Sans répondre, Clifford retourna s'asseoir derrière son bureau et se mit à griffonner d'une écriture sèche et nerveuse sur son bloc-note. Incapable d'un geste ou d'une parole, Victoria promenait sur les deux hommes un regard morne, comme dénué de vie.

— Votre voiture est garée sur le parking de l'université ? lui demanda Devon.

Elle acquiesça d'un hochement de tête.

— Dès que Clifford vous aura remis cette liste, je vous raccompagnerai.

— Merci.

— On dirait qu'il va pleuvoir à nouveau.

— En effet...

Clifford posa son stylo, plia la feuille et se leva pour venir la remettre à la jeune femme. Ses larges épaules formaient écran entre elle et Devon.

— Attendez-moi ce soir, souffla-t-il à son oreille.

Le visage de Victoria resta de marbre. Sans un mot, elle glissa le carré de papier dans son sac à main et tourna les talons.

— Victoria !

La voix de Clifford l'arrêta sur le seuil du bureau.

— Dès demain, je m'occuperai d'appeler tous ces gens. Je vous tiendrai informée de la suite des événements.

Devon passa un bras sous celui de la jeune femme et la conduisit jusqu'à la sortie. Ce n'est que lorsqu'ils eurent franchi les limites du parc qu'elle recommença enfin à respirer.

Lorsque Devon arrêta sa voiture près de la jeep, le parking de l'université était totalement désert. Les phares perçaient les ténèbres, faisant briller la chaussée luisante.

— Je vous remercie de m'avoir ramenée jusqu'ici, Devon.

— C'était la moindre des choses.

Victoria observa un instant le visage de son compagnon. Ses traits étaient aussi doux, aussi sensibles que ceux de son frère. Au premier regard, elle avait reconnu en lui un allié.

Il tendit la main pour saisir la poignée de sa portière.

— Si un jour vous avez besoin de quelqu'un à qui parler, pensez à moi, dit-il avec le sourire.

Il se tut quelques secondes avant d'ajouter d'un ton plus grave :

— Lorsque Clifford m'a fait part de sa décision d'épouser Faye, je l'ai tout de suite averti qu'il commettait une grave erreur et qu'il risquait un jour de s'en mordre les doigts. Mais il prétendait qu'il n'avait pas le choix. Maintenant, il est pris au piège.

— Il y a des gens qui passent leur existence à se sacrifier pour les autres, murmura Victoria. Ma mère me reprochait toujours d'être trop généreuse. « Sois un peu plus égoïste » ne cessait-elle de me répéter. Mais ce n'est pas dans ma

nature. Et je crois comprendre assez bien pourquoi Clifford a voulu épouser Faye.

Devon eut un petit rire amusé.

— Oh, je le comprends moi aussi. Je ne suis
pas d'accord mais je le comprends. Néanmoins je
ne voudrais pas que cette histoire vous cause la
moindre souffrance, Victoria.

Elle abaissa le regard.

— Et moi, je ne veux faire souffrir personne,
articula-t-elle d'une voix sourde. Pas plus Faye
que votre mère. D'ailleurs, il n'y a rien de sérieux
entre votre frère et moi. Sans cette sombre
histoire d'héritage...

Il éclata de rire et tapota sa main d'un geste
amical.

— Vous êtes adorable, Victoria. Mais détrom-
pez-vous : si votre relation avec Clifford devait se
poursuivre, Faye n'éprouverait pas de réelle souffrance. Elle ne l'aime pas, elle non plus. Ce qui est
vrai, c'est qu'elle porte à ma mère une immense
affection. Mais on ne bâtit pas un mariage sur de
la compassion. Croyez-moi, Victoria, c'est vous
qui avez le plus à perdre dans cette histoire. Ne
laissez pas Clifford vous briser le cœur.

Sur ces mots, il descendit de voiture pour lui
ouvrir sa portière.

— Merci encore, dit-elle en fouillant son sac à
main à la recherche de ses clés.

Lorsqu'elle se hissa à bord de la jeep, Devon
laissa échapper un nouvel éclat de rire. Le
contraste entre l'élégance de sa toilette et l'aspect
délabré de son véhicule était saisissant.

— Au moins, on peut dire que vous ne craignez pas de passer pour une originale, ironisa le jeune homme.

Victoria lui rendit son sourire.

— Cette jeep appartenait à ma mère et je n'ai pas le cœur de m'en séparer. Au revoir, Devon.

Il porta la main à un chapeau imaginaire et fit mine de l'ôter pour la saluer.

— A bientôt, Victoria. Si jamais vous vous sentez seule par une de ces longues soirées d'hiver, n'hésitez pas à m'appeler. Mon numéro figure dans l'annuaire. Je serai toujours libre pour vous.

Elle tourna la clé de contact et le moteur fit entendre une série de quintes sèches avant de démarrer. Devon se pencha à travers la vitre baissée.

— Si Clifford n'était pas mon frère, je mettrais tout en œuvre pour faire votre conquête.

Un éclair chaleureux illumina le regard de la jeune femme.

— Vous êtes beaucoup mieux qu'un conquérant, Devon. Vous êtes un véritable ami.

Elle lui adressa un dernier salut de la main et prit la direction de l'allée de chênes qui bordait le campus. Les rues de la ville étaient désertes. Elle roula à allure modérée pendant quelques kilomètres, puis, sans réfléchir, fit demi-tour et regagna le parking. Devon était parti, mais elle n'aperçut nulle trace de la voiture de Clifford. Immobile au volant de la jeep, elle se remémora la chaleur de son étreinte et la tension de sa voix lorsqu'il l'avait suppliée de l'attendre sur le parking.

« Tu te conduis comme une idiote, se sermonna-t-elle après un temps. A l'heure qu'il est, il est sans doute dans les bras de Faye, en train de lui jurer amour et fidélité. »

Elle démarra de nouveau.

— Allez au diable, Clifford Pennington ! s'écria-t-elle à haute voix.

La vue brouillée par les larmes, elle serra les doigts sur le volant et prit avec détermination le chemin de Brayntree.

Elle avait parcourut une dizaine de kilomètres, lorsque deux lumières apparurent dans son rétroviseur, s'approchant à la vitesse d'un météore. Une Porsche la dépassa et l'obligea à se rabattre sur le côté. L'angoisse et le soulagement se mêlaient dans le cœur de la jeune femme.

La porte de la jeep s'ouvrit brusquement et Clifford se hissa sur le marchepied.

— Où allez-vous, jeune demoiselle ?

— Je vais rejoindre une institution bien tranquille et me reposer des émotions d'une longue journée. Et vous, que faites-vous dehors par ce temps pluvieux ?

— Je vous cherche, Victoria.

Il la dévisagea d'un air sévère.

— Pourquoi ne m'avez-vous pas attendu ?

— Vous êtes surpris ? Ecoutez, Clifford, je dois rentrer maintenant. Un nouvel orage menace et...

— Je vous interdis de rouler sur cette chaussée glissante avec des pneus aussi usés.

Se penchant au-dessus d'elle, il arrêta le contact et enfouit la clé dans sa poche.

— Mes pneus sont en parfait état, protesta-t-elle.

Clifford secoua la tête.

— Ils ont roulés au moins dix mille kilomètres de trop.

Sans y avoir été invité, il se hissa à l'intérieur du véhicule.

— Vous devriez vous préoccuper davantage de votre sécurité, Victoria.

Elle n'appréciait guère le ton paternaliste qu'il utilisait pour s'adresser à elle.

— Voulez-vous dire que j'ai besoin d'un homme pour me protéger ?

Un sourire éclaira les traits de son interlocuteur.

— Ce que je veux dire, c'est que je vais vous conduire moi-même à Brayntree. Fermez les portières si les serrures fonctionnent encore et venez dans ma voiture.

Victoria sentit une légère appréhension l'envahir. Quels desseins nourrissait son compagnon ? Mais Clifford ne lui laissa pas le temps de formuler la moindre hypothèse. Sans attendre, il lui prit le bras, la fit descendre de voiture et l'aida à s'installer à l'intérieur de la Porsche.

Une lumière rouge clignotait dans le cerveau de Victoria. Elle savait que si Clifford avait recours à son charme, elle ne pourrait lui opposer la moindre résistance. Elle devait rester sur ses gardes et s'efforcer de dissimuler le trouble que lui procurait sa présence. Pour le reste, elle ne pouvait que supplier le ciel de lui venir en aide.

Chapitre 6

Durant les minutes qui suivirent, seul le va-et-vient des essuie-glaces rompit le silence qui s'était instauré entre les deux jeunes gens. La seule présence de Clifford privait la jeune femme de tous ses moyens. C'était un peu comme si, fermant les yeux, ses pupilles étaient restées imprégnées par la lumière du soleil.

— Vous m'avez menti au sujet de mes pneus, n'est-ce pas ? Ils ne sont pas réellement hors d'usage ?

Clifford jeta un bref regard de côté.

— Vous voulez vraiment connaître la vérité ?

— Non, répondit-elle de façon inattendue. Continuez à me mentir. Vous faites cela si bien.

Le jeune homme fit la grimace avant de murmurer :

— Je n'aime pas vous savoir seule sur la route, au beau milieu de la tempête et de la nuit. J'ai mis trente ans à vous trouver. Je ne voudrais pas qu'il vous arrive quelque chose de fâcheux maintenant.

Victoria gardait les doigts crispés sur l'attache de sa ceinture de sécurité.

— J'aimerais autant que vous conserviez pour vous ce genre de réflexions.

Elle se tut et pencha la tête de côté. La vitre était glacée contre sa joue brûlante.

— Que craignez-vous de moi, Victoria ? reprit le notaire devant son mutisme. Qu'avez-vous à perdre ?

Les roues de la Porsche crissèrent sur le gravier et le véhicule s'immobilisa. Tremblante, Victoria pointa l'index sur la façace obscure du château.

— Voilà ce que j'ai à perdre, dit-elle. Il y a quelque temps, un homme m'a demandé de choisir entre lui et Brayntree. Ma réponse a dû être suffisamment éloquente car je ne l'ai plus jamais revu.

Clifford coupa le moteur.

— Je ne vous ai jamais demandé de renoncer à Brayntree. Pourquoi essaierais-je de vous venir en aide si je voulais vous voir renoncer à l'école ? Je sais parfaitement ce qu'elle représente pour vous.

La jeune femme eut un geste de scepticisme.

— J'en doute. Brayntree est l'incarnation de mes rêves les plus fous. Et le seul bien qui me rattache à ce monde. Mais pourquoi parlons-nous de cela ? Le domaine n'a jamais constitué le moindre obstacle entre nous. Il en est un autre, en revanche, que vous vous ingéniez à passer sous silence. Faye est une jeune femme réellement charmante.

— Oh, je vous en prie, Victoria...

— Vous ne m'aviez pas tout dit au sujet de Faye et de votre mère.

Clifford exhala un long soupir.

— Vous avez raison. Je... Excusez-moi. A l'avenir, je vous promets d'être franc avec vous. Je ne voudrais pas gâcher ce qui se passe entre nous.

— Là encore, je regrette de vous contredire. Car il ne se passe rien entre nous, Clifford. Et je...

— Soyez honnête vous aussi, Victoria. Vous savez fort bien que ce que vous dites est faux. Nous l'avons su dès le premier jour.

Elle secoua la tête avec vivacité.

— Vous tirez des conclusions trop hâtives d'une faiblesse passagère, se défendit-elle.

— Vous ne savez pas mentir, Victoria. Seriez-vous réellement aussi distante si Faye ne faisait pas partie de ma vie ?

Elle abaissa les yeux d'un air las.

— A quoi bon nier l'évidence ? Faye fait partie intégrante de votre vie et ses liens avec votre famille rendent toute relation entre nous parfaitement illusoire.

Clifford comprit qu'il ne servait à rien d'essayer de poursuivre la discussion.

— Très bien, soupira-t-il après un temps. Mais laissez-moi au moins vous raccompagner jusqu'à votre porte.

Des larmes amères roulaient sur les joues de la jeune femme.

— Sous cette pluie battante ?

— Pourquoi pas ?

— Alors, passons de l'autre côté. Il y a une entrée qui mène directement à mes appartements.

Elle avala péniblement sa salive. Qu'avait-elle fait pour mériter un sort aussi injuste ? Au moment même où elle devait jeter toutes ses forces dans une bataille qui menaçait de l'éloigner à tout jamais du domaine si cher à son cœur, le destin l'obligeait à éconduire le seul homme qu'elle eût véritablement aimé.

La nuit et le brouillard engloutissaient l'aile gauche du château. Dieu merci, la chambre de la jeune femme se trouvait loin du dortoir où dormaient ses protégées

En hâte, elle introduisit la clé dans la serrure, fit glisser la porte sur ses gonds et pressa l'interrupteur. Une lueur réconfortante inonda le hall.

Du coin de l'œil, elle contempla la silhouette de son compagnon. La toile de son jean collait à ses jambes comme une seconde peau. Des coulées d'eau ruisselaient de ses cheveux humides.

— Vous êtes trempé, dit-elle. Je vais vous chercher une serviette. Vous ne pouvez pas rentrer chez vous dans cet état.

— C'est très gentil à vous.

Il la regarda disparaître de la pièce avec une infinie tristesse. La perspective de la perdre à jamais l'emplissait de terreur. Jamais elle n'accepterait de le partager avec une autre. Il ne savait comment il réussirait à reconquérir sa liberté, mais il était bien décidé à tout mettre en œuvre pour y parvenir.

Lorsqu'elle reparut dans le hall, elle lui tendit une serviette en prenant bien soin de ne pas croiser son regard. Puis, sans mesurer les conséquences de son geste, elle ouvrit la porte de sa chambre et l'invita à y pénétrer.

Clifford embrassa d'un regard circulaire le décor de la chambre. Les tapisseries rose pâle et les rideaux de soie blanche semblaient le reflet d'une âme douce et pleine de délicatesse.

— Cet endroit correspondant à merveille à l'image que j'ai de vous, confia-t-il à sa compagne.

Affolée par la soudaine sensualité de sa voix, Victoria ôta sa veste et ses chaussures trempées, puis s'approcha de la cheminée pour tenter de raviver les cendres mourantes. N'y parvenant pas, elle y renonça et reposa le tisonnier.

— Eh bien, je crois que je vais rentrer maintenant, déclara Clifford d'une voix hésitante. C'est très aimable à vous de m'avoir permis de me sécher.

— C'est à moi de vous remercier de m'avoir raccompagnée jusqu'ici.

Il saisit distraitement la poignée de la porte.

— Et merci également pour la liste, ajouta-t-elle. Je l'avais oubliée.

Comme si le son de sa voix exerçait sur lui l'effet d'un sortilège, Clifford fit volte-face et leva les yeux sur la jeune femme.

— Voulez-vous que j'allume un feu avant de partir ?

Avant qu'elle ait eu le temps de répondre, il s'agenouilla devant le foyer. Précipitamment, Victoria se retira dans son cabinet de toilette et troqua ses vêtements humides contre une jupe de lainage et un corsage vert pâle. Lorsqu'elle regagna la chambre, des flammes crépitaient joyeusement dans la cheminée. Clifford avait retiré ses chaussettes et les avait posées devant le feu pour les faire sécher. Ses chaussures reposaient tout près des mocassins de la jeune femme.

— Etes-vous toujours aussi prompt à vous mettre à l'aise ? demanda-t-elle en jetant un coup d'œil sur ses pieds nus.

Pour toute réponse, il se contenta de lui sourire. Puis il laissa errer le regard sur le tracé délicat de sa silhouette.

— Il y a un peigne sur la coiffeuse, dit Victoria en le voyant passer la main dans ses cheveux humides.

Comme il se penchait pour remettre un peu d'ordre dans sa coiffure, il ne put s'empêcher de rechercher dans le miroir le reflet de la jeune femme. Gênée, elle détourna la tête.

— Je vous ennuie, n'est-ce pas ? Pardonnez-moi d'abuser ainsi de votre hospitalité.

— Mais pas du tout. Prenez votre temps. Je pourrais peut-être...

Elle marqua une légère hésitation.

— Oui ? l'encouragea-t-il.

— Eh bien, je pourrais peut-être vous offrir quelque chose à manger. J'imagine que vous n'avez pas eu le temps de dîner. Enfin... si vous le souhaitez. Je ne voudrais pas vous retenir si vous avez mieux à faire.

Un sourire radieux illumina les traits de Clifford.

— C'est une excellente idée ! s'exclama-t-il avec joie.

Victoria le pria de patienter quelques instants et se rendit en hâte à la cuisine. Là, elle recouvrit d'une petite nappe un plateau d'argent, y disposa deux assiettes, des couverts, une bouteille de vin blanc, du fromage, du pain et des fruits. Elle complétait ses préparatifs par un petit bouquet de fleurs, lorsque la voix de Stéphanie la fit soudain sursauter.

— Je me demandais qui pouvait bien se promener dans la cuisine au milieu de la nuit. Alors, je...

Elle s'interrompit à la vue des deux couverts dressés sur le plateau.

— Oh, je vois, souffla-t-elle en considérant Victoria avec un mélange d'étonnement et d'effroi.

— Il m'a raccompagné à cause de l'orage, expliqua la jeune femme comme une adolescente prise en faute. Surtout, n'allez pas imaginer Dieu sait quoi. Nous n'avons rien avalé depuis le déjeuner.

— Je vois, répéta Stéphanie d'un air sceptique.

Elle se servit un verre d'eau et sortit de sa poche un paquet de cigarettes.

— Puis-je me permettre de vous donner un conseil, Victoria ?

La jeune femme souleva le plateau et prit la direction du couloir.

— Ce ne sera pas utile. Je suis assez grande pour savoir ce que j'ai à faire.

— Humm, fit Stéphanie en exhalant une bouffée de fumée.

— Ne vous inquiétez pas, reprit Victoria. Votre amie a connu Clifford il y a plusieurs années. Il est différent maintenant.

— Les gens ne changent pas aussi vite, Victoria. Vous le savez aussi bien que moi.

Victoria réprima un geste d'agacement. L'apparition de Stéphanie l'ennuyait. Elle aurait préféré garder secrète la visite de Clifford.

— Peut-être bien, rétorqua-t-elle d'un ton désinvolte. Mais j'ai aussi appris que les apparences sont souvent trompeuses. Quoi qu'il en soit, je crois être en mesure de me forger moi-même une opinion sur ce sujet.

Ensemble, elles s'éloignèrent de la cuisine et s'arrêtèrent devant la chambre du professeur.

— Tout de même, prenez garde, insista cette dernière. Il n'est jamais prudent de s'embarquer sur un navire quand la tempête fait rage.

Victoria rejeta la tête en arrière et éclata d'un rire léger.

— Je suis une excellente nageuse, Steph. Surtout, ne vous faites aucun souci pour moi. A demain.

Et sans se préoccuper davantage des craintes de son amie, elle hâta le pas vers sa chambre. Elle était impatiente de retrouver Clifford et de partager avec lui quelques instants de solitude. Une collation prise devant un feu de cheminée n'avait jamais nui à la réputation de personne.

Ils s'assirent en tailleur devant le foyer et laissèrent la chaleur des flammes se répandre sur leur peau encore humide.

Clifford mordit dans une poire avec appétit.

— De quoi avez-vous parlé avec Devon dans la voiture ? questionna-t-il à brûle-pourpoint.

Comme s'il voulait lui laisser le temps de réfléchir, il se leva et se mit à arpenter nonchalamment la pièce.

— Nous n'avons rien dit de particulier, répondit Victoria d'une voix enrouée.

Il s'empara d'une bouteille de parfum, l'ouvrit et en respira longuement le contenu.

— Connaissant mon frère comme je le connais, vous m'étonnez.

La jeune femme fit mine de s'absorber dans la contemplation de son verre.

— Dans ce cas, j'imagine que je n'ai rien à vous apprendre sur le contenu de ses paroles.

Poursuivant son examen de la pièce, Clifford s'approcha de la chaîne stéréo et saisit une pochette de disque au hasard.

— La *Symphonie en Ré mineur* de Rachmaninov, lut-il à voix haute.

Elle sourit mais garda le silence.

Il retira le disque de sa pochette et le plaça sur la platine.

— On dit que c'est la mélodie la plus romantique qui ait jamais été écrite.

— Vous me surprenez, Maître. Jamais je ne vous aurais pris pour un amateur de musique classique.

Il rit de bon cœur.

— En vérité, je préfère les Rolling Stones. Mais je ne déteste pas de temps à autre des genres plus reposants.

Le saphir s'abaissa sur le sillon et une mélodie infiniment douce envahit la pièce. Ayant achevé de dîner, Victoria s'installa dans un fauteuil. Lorsque Clifford vint s'allonger à ses pieds, le rythme de son cœur s'accéléra.

— Je suppose que vous avez abordé le sujet de mes fiançailles, reprit-il avec insistance. Devon n'a jamais compris ma décision.

Avec une infinie douceur, il posa une main sur sa jambe et imprima à ses doigts un léger mouvement de va-et-vient. Victoria sentit un frisson de plaisir envahir son corps.

— Je préfère ne pas discuter de vous et de Faye ce soir, déclara-t-elle nerveusement.

— Pourquoi ?

Lorsqu'elle sentit la main du jeune homme remonter le long de ses cuisses, elle eut un léger mouvement de recul.

— Parce que cela ne résoudra rien et que ce n'est pas mon affaire ! rétorqua-t-elle en se levant brusquement de son siège.

Clifford se redressa à son tour et posa les deux mains sur ses hanches.

— Victoria...

— Je crois que vous feriez mieux de partir, souffla-t-elle.

Ignorant sa prière, il enfouit la tête dans le creux de sa nuque.

— Je ne l'aime pas, confessa-t-il d'une voix sourde.

— Quelle sorte d'homme êtes-vous donc! s'écria-t-elle en se dégageant brusquement. Ce que vous faites est mal.

La gorge serrée, elle s'agenouilla près du plateau et commença à rassembler les couverts, ne sachant si elle souhaitait ou non le voir s'en aller. Du revers de la main, elle essuya les larmes qui roulaient sur ses joues.

Pendant quelques secondes, la pièce ne résonna que du bruit étouffé de ses sanglots. Puis le pas de Clifford retentit sur le parquet. Il se baissa à sa hauteur, l'attira contre son torse et se mit à la bercer avec douceur.

— Tout va bien, Victoria, chuchota-t-il d'une voix apaisante. Ne pleurez plus, tout va bien.

De ses doigts brûlants, il caressait la base de ses cuisses. Lorsqu'elle sentit sa jupe se soulever, Victoria aspira une longue bouffée d'air.

— Clifford! balbutia-t-elle, partagée entre le désir et la crainte. Je... il faut absolument que vous partiez...

— Oui, je sais, murmura-t-il sans pour autant cesser de la caresser.

— Clifford...

— Un moment. Je vous en supplie, accordez-moi encore un tout petit moment.

Le souffle court, il l'aida à se relever et prit possession de sa bouche avec la passion d'un homme qui aurait attendu ce baiser pendant de longues années. Victoria accueillit ses lèvres avec ferveur. Quand il commença à la déshabiller, elle n'eut pas la force de protester.

Comme un enfant portant un cadeau précieux, il la souleva et la déposa sur le grand lit. Sa nudité l'emplissait d'admiration. Longuement, il contempla sa peau tendrement satinée, ses seins hauts et fermes, les contours délicats de ses jambes et de ses hanches.

— Je savais que vous étiez très belle, souffla-t-il à son oreille. C'est exactement ainsi que je vous imaginais.

D'un doigt, il effleura la pointe de ses seins.

— Oh, Victoria, j'ai l'impression de renaître. C'est un peu comme si la vie coulait pour la première fois dans mes veines. Je n'avais jamais rien connu d'aussi merveilleux.

Tiraillée entre son désir et la certitude que leur relation était sans espoir, elle fit une dernière tentative pour convaincre son compagnon de la laisser.

— Clifford, je... je ne peux pas. Comprenez-moi, je vous en supplie.

— Comme vous voudrez, soupira-t-il. Nous avons tout le temps.

Au fond de lui-même, il était résolu à ne pas précipiter le cours des événements. Dans le couple qu'ils formaient, c'était lui le plus mûr, le plus expérimenté. Il refusait d'abuser de sa faiblesse et de sa naïveté.

— Je vais partir, promit-il.

Mais, une fois de plus, il ne put s'empêcher de goûter à la saveur sucrée de sa bouche. Alors les dernières résistances de la jeune femme s'effondrèrent. Incapable d'endiguer plus longtemps le torrent qui bouillonnait en elle, elle se plaqua fougueusement contre son corps en laissant échapper un gémissement de désir. Aussitôt, ils surent qu'ils n'attendraient pas davantage, que Clifford ne partirait plus.

— Soyez doux avec moi, implora-t-elle timidement.

Une éternité plus tard, ils se retrouvèrent étendus l'un près de l'autre, savourant la délicieuse langueur qui succède à l'exaltation amoureuse.

Victoria posa la joue contre le torse de son compagnon et se laissa bercer par le rythme paisible de sa respiration.

Lorsqu'il sentit les larmes de la jeune femme ruisseler sur sa peau nue, Clifford prit son visage entre ses mains.

— Oh mon amour, ne pleurez pas, chuchota-t-il à son oreille. Je vous en supplie, ne pleurez pas.

— Pardonnez-moi, mais je ne peux m'en empêcher.

— Qu'y a-t-il ? Que vous arrive-t-il ?

Il l'avait aimée si parfaitement, si totalement, qu'elle n'osait lui faire part de ses tourments.

— Rien, soupira-t-elle en essuyant ses joues.

Clifford ne comprenait pas les raisons de son chagrin. Ne lui avait-il pas promis de transformer sa vie pour elle ?

— Victoria ?

Dans le silence qui succéda à son appel, il perçut le son grave d'une horloge qui sonnait les douze coups de minuit.

— Victoria, parlez-moi.

— Que pourrais-je vous dire ?

— Je ne sais pas. Ce que vous ressentez, la raison de ces larmes...

Elle se redressa lentement, replia ses genoux et les entoura de ses deux bras.

— Je... je ne veux pas dépendre de vous, articula-t-elle après un temps.

Le front plissé, Clifford posa une main sur sa taille.

— Vous semblez considérer cette éventualité comme un échec. Pourtant, on ne peut vivre éternellement seul.

— Nous ne recommencerons plus jamais, Clifford.

Le jeune homme se pencha en avant, comme s'il venait de recevoir un coup de poignard.

— Mais... Pourquoi ? Nous pourrions être si heureux ensemble.

— Vous n'êtes pas libre, lui rappela-t-elle dans un douloureux soupir.

Les traits de Clifford se détendirent.

— A vous entendre, on croirait que je suis déjà marié avec Faye. Les fiançailles ne sont que la promesse d'un engagement futur. Elles n'ont pas la dimension sacrée du mariage.

— Après ce que je viens de faire, ma mère me tuerait si elle était encore en vie. Et à la place de Faye, je nous tuerais tous les deux !

— Vous m'avez procuré le plus grand bonheur de mon existence. Considérez-vous réellement cela comme un péché mortel ?

Victoria battit plusieurs fois des paupières. Les larmes recommençaient à lui brouiller la vue.

— Je crains que nous ne partagions pas exactement le même point de vue. Jamais plus je n'oserai croiser mon image dans un miroir.

Clifford abaissa les épaules avec lassitude.

— Quand accepterez-vous de me faire confiance ? Depuis le début, je vous affirme que je n'ai aucune volonté de trahir mes engagements. Mes intentions sont parfaitement honorables.

Un cri déchirant jaillit de la gorge de la jeune femme.

— Croyez-vous qu'il soit honorable de partager son cœur entre deux femmes ?

— Ne soyez pas impatiente, mon amour. Tous les obstacles ne peuvent se balayer du jour au lendemain. Songez aussi à Faye. Je ne puis lui annoncer de but en blanc la rupture de nos fiançailles. Mais je le ferai, je vous le promets.

« Si vous m'aimiez vraiment, vous vous préoccuperiez davantage de mes sentiments que de ceux de Faye » murmura une petite voix au fond de son cerveau. Mais elle n'osa lui révéler le fond de sa pensée.

— Très bien, j'attendrai, dit-elle avec tristesse.

En refermant la portière de sa voiture, Clifford songeait aux différentes manières de mettre un terme à sa relation avec Faye. Il lui faudrait agir vite. Quelque chose lui disait que Victoria ne s'accommoderait pas longtemps de cette situation trouble, qu'elle exigerait sans attendre une preuve de son amour. Préoccupé par l'image de Faye Chambers, et davantage encore par celle de sa mère, il mit le contact et s'éloigna du château.

Chapitre 7

Victoria dormit à peine une heure cette nuit-là. A huit heures du matin, elle repoussa péniblement ses couvertures et alla ouvrir les volets. Le temps gris et maussade semblait refléter l'état de son cœur. Les arbres dressaient leurs branches nues vers un ciel opaque, tandis que les chrysanthèmes se resserraient frileusement les uns contre les autres, comme pour se procurer un peu de réconfort.

Le jet brûlant de la douche ne parvint pas à apaiser la fatigue de son corps. Elle se brossa machinalement les cheveux en songeant avec tristesse à la soirée qui venait de bouleverser son existence. Elle aimait Clifford et n'éprouvait que des regrets devant l'impasse où se trouvait leur relation. Aujourd'hui, elle était sa maîtresse, alors qu'elle ne rêvait que de devenir sa femme, de partager son existence et celle de sa famille.

Elle décida de ne plus le revoir jusqu'au jour où il viendrait officiellement lui demander sa main. Il l'avait suppliée d'attendre, elle allait respecter à la lettre ses prières.

Sans plus tarder, elle dicta un message sur son répondeur téléphonique, expliquant qu'elle n'était pas libre de recevoir la moindre communication. C'était un acte de lâcheté, mais il lui fallait un peu de temps pour remettre de l'ordre dans ses pensées et prendre du recul par rapport aux événements des derniers jours. De plus, elle ne pouvait continuer à négliger plus longtemps l'éducation de ses pensionnaires.

Mais les nuits passèrent, sans qu'elle parvînt à trouver dans le sommeil le repos qu'elle appelait de tous ses vœux. Ses relations avec ses élèves souffraient peu du désarroi qui régnait dans son cœur. Elle possédait suffisamment d'expérience pour ne pas laisser ses préoccupations nuire à la qualité de son travail. En revanche, il n'existait que de piètres artifices à la lente détérioration de sa santé physique. Si l'insouciance de ses protégées la mettait à l'abri des questions indiscrètes, il n'en allait pas de même avec le regard avisé de Stéphanie.

Un vendredi après-midi, elle inventa une excuse pour s'éloigner du château. Vêtue à la hâte d'un jean délavé et d'une veste de daim qu'elle réservait d'ordinaire aux gros travaux de jardinage, elle s'enfuit comme une voleuse en direction des écuries. Stéphanie penserait sans doute qu'elle s'était rendue à Williamsburg.

— Vous avez besoin de quelque chose, Miss ? questionna une voix éraillée derrière son dos.

La jeune femme étouffa un petit cri. Se retournant en sursaut, elle reconnut Bud Whitaker, le jardinier et homme à tout faire du château. Aussitôt, elle s'efforça de faire passer une note de chaleur dans sa voix.

— D'où venez-vous, Bud ? Je ne vous ai pas vu arriver. Vous savez, je n'ai plus peur du grand méchant loup à mon âge.

Il rit de bon cœur.

— Je ne voulais pas vous faire peur, assura-t-il. Je me trouvais dans le cabanon lorsque j'ai entendu vos pas. J'essayais de réparer le tracteur, mais je crains que sa remise en état ne dépasse mes compétences. Il faudra l'envoyer au garage, Miss. Nous ne pourrons pas attendre la saison prochaine.

Victoria passa une main dans ses cheveux balayés par un vent glacial.

— Etes-vous certain qu'il ne tiendra pas encore quelques mois ? Si je dois vendre le château, il ne servirait à rien d'investir dans l'achat de nouveau matériel.

— Il use plus d'huile que de gasoil, expliqua le vieil homme en secouant la tête. Il aurait besoin d'une sérieuse révision.

Puis, jetant à la jeune femme un regard inquiet :

— Vous n'allez pas abandonner le domaine, n'est-ce pas, Miss ? Ce vieux tracteur et moi, nous travaillions déjà ici avant votre naissance. Que deviendrions-nous sans Brayntree ?

Par moment, Victoria se sentait fléchir sous le

poids de ses responsabilités. Tapotant tendrement la main du jardinier, elle déclara :

— Ne vous inquiétez pas, Bud. Quoi qu'il
arrive, je ne vous laisserai pas à la rue. Maman
n'aurait jamais pu se tirer d'affaire sans votre
aide et celle de Mamie. Je ne l'oublierai pas.

Le vieil homme parut satisfait de sa réponse.
Ils bavardèrent encore quelques instants et Bud
prit congé. En le voyant disparaître à l'orée du
bois, Victoria sentit une bouffée de honte l'envahir. Son mensonge lui faisait horreur. Qu'adviendrait-il de Bud, de Mamie, de Jack et de
Stéphanie si elle se trouvait contrainte de vendre le domaine ? Contrairement à ce qu'elle
avait affirmé au jardinier, elle ne disposerait
alors d'aucun moyen pour assurer l'avenir de ses
fidèles amis. Comme elle enviait les femmes qui
n'avaient qu'à se soucier de la couleur de leur
vernis à ongles et du contenu de leur garde-
robe !

Exhalant un douloureux soupir, elle poursuivit son chemin en direction des écuries. Celles-ci
avaient fait jadis l'orgueil de Brayntree. L'équitation faisait alors partie intégrante de l'éducation des élèves et, chaque année, plusieurs
d'entre elles s'inscrivaient dans des compétitions d'importance nationale. Mais au fil des
années, les difficultés financières avaient
contraint les propriétaires du château à réduire
le nombre des chevaux. Du temps d'Helen, les
écuries comptaient encore douze pensionnaires.
Aujourd'hui, elles n'en abritaient plus que trois.

La jeune femme marqua une halte devant le box de sa jument favorite.

— Bonjour, petite Daisy, fit-elle en tapotant son museau tacheté de blanc. Tu as déjà mangé toute ton avoine ! Ma pauvre chérie, tu vas finir par me ruiner. J'ignore ce que l'avenir nous réserve, mais je commence à me demander ce que je vais faire de toi et de tes deux compagnons.

Une voix chaleureuse s'éleva du fond du bâtiment.

— Je suggère que vous vous occupiez un peu plus de vous-même avant de vous préoccuper du sort des autres.

Un bruit de pas résonna sur le dallage de ciment et le visage de Stéphanie jaillit de la pénombre. Victoria lui adressa un pâle sourire. Il n'était pas si facile d'échapper à la sollicitude de son amie. Comment avait-elle deviné qu'elle se trouvait ici ?

Stéphanie s'appuya contre un pilier. Elle portait des bottes de cuir et un gros pull-over à col roulé.

— Je viens d'écouter les messages enregistrés sur le répondeur. Clifford Pennington n'a cessé de vous appeler.

Victoria sentit son visage s'empourprer.

— Je ne veux pas savoir ce qu'il a dit.

Elle s'éloigna du box de Daisy pour se diriger vers la grange. Deux selles étaient abandonnées sur le sol. Elles étaient recouvertes de poussière et rongées par l'humidité.

— Pourtant, je vous assure que ses messages

méritent une certaine attention. Il affirme sans détours que si vous vous obstinez dans votre silence, il viendra ici, forcera votre porte et vous contraindra à l'écouter, par la violence s'il le faut.

Malgré tout le sérieux de la situation, Victoria ne put s'empêcher de sourire.

— Clifford a tendance à dramatiser les choses, expliqua-t-elle. J'imagine qu'il s'agit d'une déformation professionnelle.

Stéphanie pénétra à son tour dans la grange et se laissa tomber sur une meule de foin.

— Vous ai-je déjà dit que j'avais vécu une véritable histoire d'amour? lança-t-elle d'un ton désinvolte.

Victoria éprouva quelque peine à surmonter sa surprise. Stéphanie ne lui avait encore jamais fait la moindre confidence sur sa vie sentimentale.

— C'est l'expérience la plus douloureuse de toute mon existence, poursuivit cette dernière. Un cauchemar indescriptible. Mais je ne vous accablerai pas de détails inutiles.

— Pourtant, vous y avez survécu, observa Victoria. D'ailleurs, je ne vois pas ce qui vous pousse à me faire cet aveu. A moins que vous n'imaginiez que Clifford et moi...

Elle marqua une légère hésitation.

— Vous savez, Steph, les apparences sont parfois trompeuses.

Stéphanie s'appuya contre le mur et sortit un paquet de cigarettes de sa poche.

— Victoria, j'ai le sentiment que vous vous êtes laissée entraîner dans une vilaine histoire.

— Vous vous trompez et d'ailleurs cela ne vous regarde absolument pas.

Un soupir s'échappa des lèvres de son interlocutrice.

— Croyez-vous qu'il me soit facile de vous voir souffrir le martyre sans pouvoir vous venir en aide ? Cet homme est un Don Juan sans scrupules...

— Non, protesta la jeune femme en secouant la tête. Il est doux, sensible et indulgent. Vous vous laissez influencer par vos préjugés.

Son amie réfléchit un instant avant de répondre.

— Vous avez peut-être raison, concéda-t-elle. Mais il n'empêche qu'il a brisé la vie et le cœur de ma meilleure amie. Darlene ne s'est jamais remise de cette aventure. Et vous êtes sa prochaine victime.

Un calme surprenant emplissait la voix de Victoria lorsqu'elle déclara :

— Il m'aime, Steph. Quelles qu'aient été ses fautes passées, il m'aime.

— Il vous l'a dit ?

— Oui.

Au moins, Stéphanie eut-elle la délicatesse de ne pas l'accuser de naïveté.

— Et puis, comment pourrais-je le blâmer d'agir comme je l'aurais fait à sa place ? reprit Victoria après un temps.

Elle décrocha une lanière de cuir pendue au

mur et la serra entre ses doigts. Dissimulant sa réprobation, Stéphanie exhala une bouffée de fumée en direction du toit de chaume.

— Je vois que je ne parviendrai pas à vous convaincre d'agir avec plus de prudence, dit-elle. Mais, croyez-moi, je vous comprends. Je ne vous demanderai pas si vous êtes amoureuse de lui. Votre état physique en dit assez long sur le sujet.

Victoria vint s'asseoir auprès de son amie. D'un air absent, elle ramassa des brindilles de paille et en fit un petit tas sur le sol.

— Je crains de n'avoir d'autre recours que de mettre Brayntree en vente. Depuis... depuis cette nuit avec Clifford, je n'ai cessé de retourner le problème. Je sais que c'est une affaire d'orgueil, mais je ne puis accepter qu'il me vienne en aide dans cette histoire. Je suis trop proche de lui maintenant. Si je commence à accepter des faveurs de cet ordre, je...

— Vous vous sentiriez obligée de le dédommager d'une manière ou d'une autre ?

— Il y a un peu de cela, en effet. Une femme ne peut rien refuser à un homme qu'elle aime et qui de surcroît l'a sauvée de la ruine.

Elle marqua une pause avant de poursuivre.

— Tout cela est bien compliqué. Si notre relation devait se poursuivre, je sais que je deviendrais rapidement trop exigeante, que je chercherais à le posséder pour moi seule. Je l'aime trop pour l'enfermer dans ce piège.

Stéphanie acheva sa cigarette en silence avant de l'écraser sur le sol. Elle faisait mine de ne pas remarquer les doigts tremblants de son amie ni les tressaillements nerveux qui parcouraient son corps.

— Avez-vous complètement renoncé à votre projet de joindre Elliot pour tenter de le faire revenir sur sa décision ?

— J'y ai pensé, lui confia la jeune femme d'une voix hésitante. Mais je n'ai pas envie de partir pour l'Autriche en vous laissant seule à la tête du pensionnat. Vous avez déjà suffisamment de travail comme cela, je ne voudrais pas vous imposer cette charge supplémentaire.

— Voyons, Victoria, ne soyez pas stupide ! Je suis parfaitement capable de diriger l'école en votre absence. D'ailleurs, à mon avis, vous n'avez pas le choix.

— Vous pensez qu'il s'agit de ma dernière planche de salut ?

Stéphanie lui sourit.

— Je le pense en effet. Mais je connais bien Elliot. Je suis persuadée qu'il saura se montrer compréhensif. Et puis, les vacances de Noël approchent. Je ne resterai seule que quelques jours.

Victoria réfléchit quelques instants au bien-fondé de ce voyage. Elliot consentirait peut-être à régler cette affaire à l'amiable. Cela valait beaucoup mieux que d'accepter une aide quelconque de Clifford. En reprenant ses affaires en mains, elle lui démontrerait qu'elle n'attendait rien de lui et qu'elle était capable de se débrouiller seule.

Elle mit une brindille dans sa bouche, la

mâchonna distraitement puis replia ses genoux
contre sa poitrine.

— Pourquoi correspond-il si parfaitement à ce
que j'attends d'un homme ? murmura-t-elle
comme si elle se parlait à elle-même. Tout m'attire en lui. Son physique, sa démarche, sa voix...
Lorsqu'il me serre dans ses bras, Steph, je...

Elle laissa retomber son front sur ses genoux et
les larmes qu'elle avait retenues au cours des
jours passés se mirent à ruisseler sur son jean.

— Oh mon Dieu ! sanglota-t-elle. Jamais je ne
pourrai me passer de lui. Son image me poursuit
jour et nuit. S'il se marie avec Faye, je n'y
survivrai pas.

Le spectacle de sa détresse fit affluer une foule
de souvenirs dans la mémoire de Stéphanie. Elle
se sentait presque aussi désemparée que son
amie.

Embarrassée, ne sachant que dire ni que faire,
elle se racla discrètement la gorge.

— Allez en Autriche, Victoria. J'insiste. Qui
sait ? Peut-être parviendrez-vous à faire entendre
raison à votre idiot de frère.

— Mais ce voyage va me coûter une fortune.

— Au diable l'argent ! Il s'agit de votre dernière chance, la dernière chance de Brayntree.
Allons, essuyez votre visage et courez téléphoner
à l'aéroport. Vous prendrez le premier avion en
partance pour l'Europe. Je vous conduirai à
Richmond s'il le faut.

L'obscurité commençait à engloutir le paysage
lorsque les deux femmes regagnèrent le château.

— Stéphanie, dites-moi que vous avez énormément appris de votre histoire d'amour. Je ne
voudrais pas être la seule à me trouver dans une
situation aussi stupide.

Stéphanie fit entendre un petit rire nerveux.

— Si cela peut vous rassurer, sachez que j'ai
fumé trois paquets de cigarettes par jour pendant
six mois, que j'ai sombré dans une terrible
dépression nerveuse et que votre mère a été sur le
point de me renvoyer.

Victoria la dévisagea avec compassion.

— Où étais-je lorsque cela s'est passé ?

— Vous appreniez à marcher dans la cour du
château avec votre gouvernante.

Lorsqu'elles atteignirent la porte d'entrée, Victoria avait retrouvé un peu de son courage. Sa
démarche était moins lourde, son allure plus
décidée. Cette entrevue avec Elliot apporterait
peut-être une solution à tous ses problèmes. Le
seul fait d'agir, de ne pas s'abandonner au chagrin, constituait un énorme progrès sur les jours
passés.

Un coup de téléphone à l'aéroport lui apprit
qu'elle pouvait partir le soir même. En raccro-
chant l'appareil, elle sentit une vague d'opti-
misme l'envahir. Ce voyage signifierait peut-être
la survie de Brayntree et la fin de son cauchemar.

A peine avait-elle reposé l'écouteur que le
téléphone se mit à sonner. Elle décrocha sans
prendre le temps de réfléchir.

— Victoria ?

Elle pâlit, sans pouvoir articuler un son.

— Ne raccrochez pas ! lança la voix sévère de Clifford à l'autre bout du fil. Je veux vous voir. Immédiatement...

Une boule d'angoisse obstruait la gorge de la jeune femme.

— Je... je ne pense pas...

— Pourquoi ? Ecoutez, Victoria. Nous devons absolument nous entretenir de toute urgence. Vous n'imaginez pas le cauchemar dans lequel je vis depuis l'autre soir.

— Je suis désolée. Je ne voulais pas vous causer tant de souffrance...

— J'ai parlé à Faye.

Il marqua une pause avant d'ajouter :

— Mais je ne puis vous expliquer tout cela au téléphone. Je veux vous voir. Je serai au château dans moins d'une demi-heure. Surtout, n'essayez pas de vous enfuir !

— Qu'a-t-elle dit ? interrogea-t-elle d'une voix à peine audible.

— Vous le saurez dans un moment. Je pars sur-le-champ. A tout à l'heure.

— Clifford...

Mais il avait déjà raccroché. Songeuse, elle reposa lentement le combiné sur sa fourche.

— Aidez-moi à faire ma valise, lança-t-elle soudain à l'adresse de Stéphanie. Je prends le premier au départ de Williamsburg.

— Mais vous ne pensez pas...

Pour une fois, le professeur paraissait prendre la défense de Clifford.

— Je ne veux pas lui parler maintenant, expliqua Victoria. Mes pensées sont trop confuses. Et puis je dois d'abord songer à l'avenir de Brayntree.

Elle ouvrit se penderie et en tira précipitamment une pile de vêtements, tout en se demandant comment son amour pour Clifford pouvait causer autant de désordre dans sa vie.

Lorsque les pneus de la Porsche crissèrent sur le gravier de Brayntree, le ciel était aussi sombre que le visage de Clifford. Il venait d'infliger une terrible déception à ses parents en refusant de signer l'acte de vente de la maison qu'il devait occuper avec Faye. Cela ne les concernait pas, disaient-ils, mais ils le trouvaient fort étrange depuis quelque temps. Il n'avait pas pris la peine de leur répondre. Victoria lui causait énormément de souci et il ne se préoccupait de rien, ni de personne d'autre.

A l'autre extrémité de l'allée, la façade du château était plongée dans l'obscurité. Clifford s'arrêta devant le portail, descendit de voiture et appuya sur le bouton de l'interphone.

— Qui est là ? questionna une voix peu aimable. Que voulez-vous à cette heure de la nuit ?

— Je suis Clifford Pennington et je désire voir Miss Carroll. C'est vous, Jack ?

Mais son interlocuteur ne prit pas la peine de décliner son identité.

— Miss Carroll n'est pas ici, déclara-t-il simplement.

— C'est impossible, s'écria Clifford d'une voix

tendue. Je lui ai parlé il y a moins d'une demi-heure. Allons, ouvrez vite ce portail.

Un soupir résigné jaillit de l'appareil.

— Entendu, monsieur Pennington. Je veux bien vous laisser entrer. Mais c'est Miss Stéphanie qui vous recevra.

— Très bien. Prévenez-la de mon arrivée.

Les roues de la Porsche laissèrent de larges trainées sur le gravier de l'allée. Clifford coupa nerveusement le contact et escalada quatre à quatre les marches du perron.

— Je sais, il est tard, déclara-t-il en guise d'entrée en matière lorsque Stéphanie entrouvrit la porte principale.

Elle hocha la tête avec lassitude, sans l'inviter à pénétrer dans le hall. Il s'adossa au chambranle et la dévisagea d'un air hagard. Stéphanie considéra avec étonnement sa tenue négligée, sa chemise entrouverte et le désordre de ses cheveux. Il paraissait au bord de l'épuisement.

— Ainsi, vous êtes parvenue à vos fins, laissa-t-il échapper d'une voix sourde.

— Monsieur Pennington, cette entrevue est-elle vraiment nécessaire ? Un simple coup de téléphone aurait suffi.

Il eut un ricanement amer.

— Voilà quatre jours que j'appelle inutilement. Où est Victoria ?

— Elle est partie.

— Où ?

— Vous savez bien que je ne peux pas vous répondre.

— De toute façon, je finirai par connaître l'endroit où elle se trouve. Alors que ce soit maintenant ou plus tard...

Stéphanie recula au milieu du hall. Sans hésiter, Clifford franchit le pas de la porte et la rejoignit.

— J'espère que vous avez beaucoup de temps devant vous, monsieur Pennington. Victoria a quitté le pays.

Le notaire considéra son interlocutrice en essayant de se dominer. Il avait envie de pénétrer de force dans chaque pièce du château en démolissant tout ce qu'il trouverait sur son chemin.

Stéphanie se laissa tomber dans un confortable fauteuil.

— Ecoutez, Miss Morris, fit-il en contenant à grand-peine sa colère. Je sais que vous ne me portez pas dans votre cœur, mais...

— En connaissez-vous seulement la raison ?

Il haussa les épaules avec lassitude.

— Non et pour être franc, je m'en moque éperdument.

Stéphanie serra les doigts sur les accoudoirs de son fauteuil.

— Je suppose que le nom de Darlene Kirzynski n'évoque en vous aucun souvenir ?

Clifford enfonça nerveusement ses poings dans ses poches. De quoi se mêlait cette femme ? Pourquoi se dressait-elle obstinément entre Victoria et lui ?

— Bien sûr que si, je me souviens parfaitement de Darlene. Pourquoi cette question ?

— C'était une de mes amies.

Un sourire triomphant se dessina sur les lèvres de Stéphanie. D'un air absent, elle prit un crayon et griffonna quelques mots sur un calepin.

Bouillonnant d'impatience, Clifford se mit à arpenter le hall de long en large. Il était bien décidé à ne pas laisser le professeur en paix tant qu'elle ne lui aurait pas révélé l'endroit où Victoria s'était enfuie.

— J'aime Victoria, lança la voix de Stéphanie derrière son dos.

Il vit volte-face.

— Je l'aime, moi aussi, articula-t-il avec force. Ecoutez, Stéphanie, pour le bien de Victoria nous devons conclure une trêve, vous et moi. J'ai commis ma part de bêtises dans l'existence. L'une d'elle portait le nom de Darlene. Mais ce que je ressens pour Victoria est totalement nouveau pour moi.

— Elle est si fragile. Vous risquez de lui briser le cœur.

— C'est vous qui êtes en train de le faire !

Les épaules du notaire s'affaissèrent. Il comprenait le besoin de protection que la vulnérabilité de Victoria suscitait chez son interlocutrice. Lui-même éprouvait des sentiments analogues. Mais il savait aussi que son obstination risquait d'interrompre à tout jamais leur relation.

— Tout le monde risque d'avoir un jour le cœur brisé, Stéphanie. Vous également.

Il avait prononcé machinalement ces derniers mots. Mais aussitôt, il remarqua que les mains du professeur s'étaient mises à trembler.

— Ce n'est pas de moi qu'il s'agit, protesta-t-elle.

— Je n'en suis pas si sûr.

Peu à peu, sa colère se muait en un sentiment étrange, fait de compréhension et de sympathie.

— Ne laissez pas vos propres angoisses influencer le comportement de Victoria. Elle a le droit de décider librement des orientations à donner à son existence.

Quand il s'empara du carnet placé près du téléphone, Stéphanie n'essaya pas de l'arrêter. Très vite, il tomba sur les horaires des avions en partance pour l'Autriche.

— Monsieur Pennington... articula Stéphanie d'une voix à peine audible.

— A-t-elle pris le vol de ce soir ? questionna-t-il en remettant le carnet à sa place.

Elle laissa retomber la tête avec découragement.

— Oui, souffla-t-elle malgré elle.

Clifford fronça les sourcils.

— L'Autriche ? Elle veut donc tenter de se tirer d'affaire sans l'intermédiaire de personne.

Elle approuva d'un signe de tête.

— Quel orgueil ! marmonna le notaire.

Sans mot dire, Stéphanie le regarda composer le numéro de l'aéroport. Il s'informa de l'horaire des prochains vols et reposa le combiné.

Stéphanie exhala un long soupir.

— Je suppose qu'il est inutile d'essayer de vous persuader de la laisser agir seule ?

Un sourire radieux éclairait les traits du jeune homme. Il n'avait plus qu'une seule idée en tête : quitter le château et réduire au plus vite la distance qui le séparait de Victoria.

— Parfaitement inutile, Miss Morris, répondit-il en se dirigeant vers la sortie. Parfaitement inutile.

Chapitre 8

Quelque part au fond de son cœur, Victoria avait imaginé son voyage en Europe comme un intermède romantique au milieu des soucis qui accablaient son existence. Toute son enfance, elle avait rêvé de déambuler dans les beaux quartiers de Paris, de flâner dans les boutiques de Londres ou d'assister à un concert à l'Opéra de Vienne.

Dans son esprit, l'Europe était liée à l'image d'un prince en uniforme chamarré, qui la soulèverait entre ses bras puissants pour l'emporter dans son château.

Mais aujourd'hui, l'homme de ses pensées était un notaire aux larges épaules, qui semblait préférer les jeans aux tenues d'apparat. Elle se remémorait les délices de sa nuit passée avec Clifford, quand son train pénétra en gare d'Innsbrück. L'esprit confus, elle se leva et rassembla ses bagages.

La capitale du Tyrol offrait mille attraits aux touristes de passage. Mais elle y arrivait au plus mauvais moment de l'année : trop tard pour les grandes foires commerciales et trop tôt pour les festivals de musique et les compétitions.

A dire vrai, cela lui importait peu. Elle ne venait pas de parcourir des milliers de kilomètres pour jouer les touristes en mal de distractions. Son seul désir était de sauver Brayntree et, accessoirement, de nouer des relations amicales avec un père qu'elle connaissait à peine et une belle-mère qu'elle n'avait encore jamais rencontrée.

Peu avant la tombée du jour, un omnibus hors d'âge la déposait à la petite station hivernale de Ravensfeld. Il lui restait encore une vingtaine de kilomètres à parcourir avant d'arriver à destination.

Aux dires d'Helen, Gretchen Redl avait scandalisé sa famille et ses amis en acceptant d'épouser un homme divorcé, de dix ans son aîné et américain de surcroît. De son côté, John Carroll avait causé une réelle surprise parmi les siens en décidant de s'établir en Autriche et d'ouvrir une auberge dans ce coin perdu du Tyrol.

Certes, l'endroit était splendide et les montagnes environnantes d'une beauté à couper le souffle. Mais combien de visiteurs recevait-il chaque année ? Un gîte modeste, contenant tout au plus une douzaine de chambres, ne pouvait constituer une importante source de revenus.

En sortant de la gare, Victoria distingua la frêle silhouette de son demi-frère. C'était un jeune homme au teint pâle et au visage encadré de fins cheveux blonds. D'emblée, on devinait en lui une nature sensible et généreuse qui avait sans doute fortement contribué à sa vocation d'artiste peintre. Helen le chérissait profondément et il lui avait paru tout naturel d'inscrire son nom sur son testament. Elle prétendait que si elle ne lui léguait pas une partie de ses biens, son père n'aurait aucun scrupule à le laisser mourir de faim.

Victoria lui adressa un petit signe de la main.

— Ton coup de téléphone m'a causé une agréable surprise, dit-il en s'emparant de sa valise. J'ai essayé en vain de prévenir Papa et Maman de ton arrivée. Ils sont partis passer la journée à Vienne et ne rentreront que très tard ce soir.

— Cela ne fait rien, soupira la jeune femme avec lassitude. Pardonne-moi de ne pas t'avoir averti plus tôt. Je n'ai pris ma décision qu'hier au soir.

Elle le contempla longuement en se demandant si sa visite lui procurait un réel plaisir.

— J'ai pensé que nous avions à discuter de vive voix de l'avenir du château.

Elliot tendit la main en direction d'une petite Fiat bleue garée non loin de là.

— Nous parlerons de tout cela un peu plus tard. Tu dois être extrêmement fatiguée. Je te trouve changée, tu sais.

Ils bavardèrent un moment de son voyage, de l'attente aux postes de douane et de la lenteur des trains.

— Pourquoi n'as-tu pas pris l'avion jusqu'ici ?

Le rire joyeux d'un enfant résonna tout près

d'eux. Elle se retourna et aperçut un jeune couple qui se débattait avec son équipement de ski.

— Tu crois que je pourrai apprendre à skier en quatre jours ? demanda le bambin d'une voix chargée d'espoir.

Il tentait avec difficulté de suivre ses parents en traînant un énorme sac sur la neige.

— Bien sûr, répondit le père en marquant une légère halte. A ton âge, je skiais déjà comme un champion, n'est-ce pas, Lisa ?

Victoria sourit à la vue du bonheur qui avait envahi le visage de l'enfant. Un peu plus loin, l'homme s'arrêta de nouveau, posa ses skis à terre et hissa le petit garçon sur ses épaules. Une vision soudaine traversa l'esprit de Victoria. Elle s'imagina à la place de la jeune femme et s'efforça de substituer aux traits de son compagnon le visage de Clifford. Comme elle aurait aimé former avec lui ce couple heureux et sans histoire !

« Oh, Clifford ! criait une voix au fond de son cœur. Votre pensée m'obsède jour et nuit. Comme je voudrais faire don de mon existence et d'un enfant comme celui-là. Mais c'est impossible. C'est Faye que vous épouserez. Et vous m'oublierez, comme vous en avez oublié tant d'autres avant moi... »

— Eh bien, à quoi rêves-tu ? questionna Elliot. Je te demandais pourquoi tu n'avais pas pris l'avion pour venir jusqu'ici.

— Hum ? Oh, j'avais besoin de prendre un peu de temps pour réfléchir. J'ai pensé que ce voyage en train me ferait du bien.

Comme ils arrivaient près de la Fiat, Elliot rangea sa valise dans le coffre et lui ouvrit sa portière.

— Et maintenant, en route pour le plateau de Hungeburg, s'exclama-t-il joyeusement. Quatre mille mètres d'altitude et un décor comme tu n'en as certainement encore jamais vu. L'auberge n'a pas encore fait le plein de clients. L'endroit est tranquille, tu verras. Combien de temps comptes-tu rester avec nous ?

— Quelques jours seulement. Je dois être de retour à Brayntree pour la rentrée des vacances de Noël.

L'évocation du château amena une ombre sur le visage du jeune homme. Faisant mine de se concentrer sur sa conduite, il se réfugia dans un profond mutisme. La route était étroite et sinueuse. De chaque côté de la chaussée, Victoria devinait de dangereux précipices. Mais la beauté du décor parvint à lui faire oublier sa peur.

Dès leur arrivée à l'auberge, Elliot la conduisit dans une chambre aux dimensions modestes, mais parfaitement entretenue. Ses fenêtres donnaient sur un paysage à la fois sauvage et grandiose, qui semblait dominer l'univers tout entier.

Après avoir partagé avec son frère une légère collation, elle se déshabilla et se glissa entre ses draps. La journée avait été longue. Elle se laissa rapidement emporter par un profond sommeil.

John Carroll n'avait jamais particulièrement apprécié son rôle de père. Le plus souvent, il méprisait également le commerce des femmes. En Gretchen, il avait trouvé une compagne simple et travailleuse, qui le respectait et savait se taire quand il l'exigeait, qualité qu'il jugeait essentielle chez une épouse.

Au début de son installation en Autriche, il avait espéré gagner beaucoup d'argent avec son auberge. Mais il lui avait fallu rapidement déchanter. La rotation des clients permettait tout juste au couple de vivre décemment. Malgré sa passion du lucre, John se sentait trop vieux pour se lancer dans une nouvelle entreprise. Ses cheveux blanchissaient à vue d'œil et il ne reconnaissait plus l'image que lui renvoyait son miroir. A la fin de chaque journée, il ne lui restait plus que la force de se hisser jusqu'à sa chambre et de s'endormir en rêvant à des jours meilleurs.

Il plaçait ses derniers espoirs dans la mise en vente de Brayntree. « La part d'Elliot nous permettra de rénover l'auberge et d'attirer une clientèle plus fortunée » songeait-il à son retour de Vienne.

— Où est elle ? demanda-t-il à son fils quand, à minuit passé, celui-ci vint les accueillir sur le seuil de l'auberge en les informant de l'arrivée de Victoria.

Elliot cligna plusieurs fois des paupières pour tenter de retrouver un peu de lucidité. Il s'était endormi sur un sofa en attendant le retour de ses parents.

— Elle est ici. Elle dort. Elle m'a appelé de Vienne dans l'après-midi.

John passa une main agitée dans ses cheveux.

— A-t-elle dit pourquoi elle était venue ? Et l'argent ? L'a-t-elle apporté ? Seigneur, que...

Derrière lui, sa femme lui tapota l'épaule. Son visage était à demi dissimulé derrière une écharpe de laine.

— Chut, souffla-t-elle en s'avançant pour déposer une pile de paquets au milieu du hall. Parle un peu moins fort, John. Tu vas réveiller tout le monde.

Elliot adressa un regard sombre à son père.

— Je n'ai pas songé à aborder ce sujet avec elle. Si tu veux en savoir davantage, tu n'auras qu'à lui en parler toi-même.

— Sois certain que je n'y manquerai pas. Quelle chambre lui as-tu donnée ?

— Pas maintenant, John.

— Papa ! s'écria Elliot en agrippant l'avant-bras de son père.

Rarement, il avait fait preuve d'une telle fermeté envers le vieil homme.

— Je lui ai dit que vous vous verriez demain matin.

John marmonna quelque chose dans sa barbe, puis se laissa entraîner par son épouse jusqu'à la montée d'escalier.

— Eteins les lumières, Elliot, dit cette dernière. Viens, John, allons nous coucher.

Ils gagnèrent leur chambre et se déshabillèrent en silence. Lorsqu'il se fut glissé dans ses couvertures, John exprima tout haut le fond de sa pensée.

— Je me moque éperdument de ce qu'elle dira, gronda-t-il avec véhémence. J'étais le mari d'Helen. Je la connaissais bien. Jamais elle n'aurait accepté de favoriser l'un de ses enfants au détriment d'un autre. Et que Victoria ne vienne pas me raconter des sornettes sur ses prétendues difficultés financières !

Timidement, Gretchen émit un léger son de désapprobation. Jamais elle ne se serait permise d'attaquer de front l'opinion de son mari.

— C'est ta fille, John. Laisse-lui un peu de temps...

— Du temps ? Voilà plus d'un an qu'Helen est morte. Plus d'un an également qu'elle ne nous a pas donné signe de vie. D'ailleurs...

Il marqua une pause.

— D'ailleurs ? encouragea Gretchen.

— Elle ne m'a jamais appelé Papa. Helen ne le voulait pas. Elle lui a appris à m'appeler John, comme si je n'étais pour elle qu'un étranger.

— Elle ne te connaît pas. Si tu la traitais un peu plus comme ta fille, peut-être se considérerait-elle davantage comme telle.

John ne paraissait pas convaincu. Il se tourna sur le côté et passa un bras au-dessus des couvertures. Gretchen vint se blottir contre lui.

— Elle m'appelle John, maugréa-t-il une dernière fois avant d'emplir la pièce d'un puissant ronflement.

Victoria redoutait le premier contact avec son père. Pas seulement parce qu'elle ne l'avait pas vu depuis les funérailles d'Helen, mais aussi parce qu'ils n'avaient jamais été que des étrangers l'un pour l'autre. Le peu de temps qu'ils avaient passé ensemble ne laissait dans son esprit que des souvenirs douloureux, dans lesquels il tenait le plus souvent le rôle d'ennemi de sa mère.

Elle s'habilla avec soin, d'un pantalon de velours et d'un pull épais. En contemplant son image dans le miroir, elle se rendit compte que son écharpe portait la griffe de Cartier. Ne voulant exposer aux yeux de son père aucun signe d'une richesse apparente, elle l'ôta et la rangea soigneusement au fond de sa valise.

Elle tremblait de la tête au pied. Pourquoi appréhendait-elle tant cette entrevue ? Pour le bien de Brayntree et de ses habitants, il lui fallait trouver le courage d'affronter calmement ses hôtes. Elle devrait se montrer suffisamment habile et persuasive pour les convaincre de ne pas exiger sur-le-champ l'argent qui revenait naturellement à Elliot.

A huit heures précises, elle descendit au rez-de-chaussée. Une dizaine de clients occupaient les lourdes tables en chêne de la salle à manger. Au fond de la pièce, se dressait un buffet garni de mets alléchants : des omelettes au jambon, de fines tranches de viande, des pâtisseries et des jus de fruits. Il régnait dans la grande salle une atmosphère familiale et les visiteurs semblaient tout à fait satisfaits de leur sort.

Un serveur la conduisit jusqu'à une porte

donnant accès à la salle à manger privée du propriétaire de l'auberge et de sa famille. Elle frappa et une douce voix aux intonations germaniques la pria d'entrer.

Lorsqu'elle franchit le seuil de la pièce, trois têtes se levèrent. John Carroll replia son journal, se leva et l'embrassa sur la joue, comme s'ils s'étaient quittés la veille au soir.

— Tu es ravissante, ma chérie ! s'exclama-t-il en s'emparant de ses deux mains. N'est-elle pas adorable, Gretchen ? Je voulais monter te réveiller mais Elliot m'a supplié de te laisser dormir. Il paraît que tu étais exténuée après ton long voyage. Tu aurais dû nous prévenir plus tôt de ton arrivée. Nous n'étions même pas à l'auberge pour t'accueillir.

Victoria nota que le tweed de son pantalon était usé. Son pull-over était tricoté à la main, par Gretchen sans doute. En dépit de son âge, c'était encore un bel homme.

Sa femme, une créature d'apparence modeste, possédait un visage rayonnant de bonté. Ses yeux étaient d'un bleu éclatant et son contact chaleureux faisait tout de suite oublier l'affreux pantalon jaune et le corsage trop large qu'elle portait.

Elle adressa à la jeune femme un large sourire.

— Oui, John, elle est adorable.

Lui tendant une main, elle l'invita à s'asseoir autour de la table du petit déjeuner. Pendant près d'une heure, l'objet de sa visite fut soigneusement évité. Tous se conduisaient comme si le sujet déplaisant qu'ils avaient à aborder se résorberait de lui-même s'ils prenaient garde de ne pas y faire allusion. La conversation tourna autour d'anecdotes amusantes concernant l'enfance de Victoria et de son demi-frère.

La jeune femme fut surprise par la froideur avec laquelle Elliot semblait accueillir les propos de son père. Et si Stéphanie avait vu juste ? Se pouvait-il que le véritable coupable ne fût pas son demi-frère mais John Carroll lui-même ?

Comme la discussion retombait, John s'éclaircit la gorge et croisa les bras sur sa poitrine.

— Ma chérie, nous sommes ravis de t'avoir parmi nous, mais nous ne pouvons reporter indéfiniment l'affaire qui t'a conduite jusqu'ici.

Un long silence succéda à ses paroles.

— Eh bien, commença timidement Victoria, vous savez tous que mon vœu le plus cher est de sauvegarder le pensionnat et de poursuivre ainsi l'œuvre accomplie par Maman. Au cours de ces dernières semaines, j'ai tout fait pour tenter de trouver l'argent qui m'aurait permis de rembourser la part revenant à Elliot. Malheureusement, aucun banquier n'a consenti à me prêter son concours. Je me trouve aujourd'hui dans une situation désespérée.

La mimique qui étira les lèvres de son père pouvait difficilement passer pour un sourire.

— Voyons ma chérie, la situation ne peut être aussi désastreuse que tu le prétends. J'ai vécu plusieurs années avec Helen. C'était une femme prévoyante et fort avisée dans ses dépenses.

Victoria refréna la bouffée de colère qui montait en elle. Son père semblait déjà douter de sa parole. Ses propos auguraient mal de la suite de l'entretien.

— Vous connaissiez Maman, je n'en doute pas, mais cela n'est pas suffisant. Je vous affirme qu'il n'y a plus un sou dans les caisses de Brayntree. Je tiens la comptabilité au jour le jour et j'éprouve les pires difficultés à boucler les fins de mois. Si je ne parviens pas à recruter un nombre suffisant d'élèves à la rentrée prochaine, je serai contrainte de fermer le pensionnat.

John n'était pas assez grossier pour provoquer une scène à quelques mètres de la salle où ses clients achevaient de déjeuner. L'espace d'un instant, sa pipe resta suspendue au-dessus de sa blague à tabac. Puis il se mit à remplir lentement le fourneau en choisissant ses mots avec soin.

— Peut-être as-tu omis de faire entrer certaines sommes dans le détail de ta comptabilité, avança-t-il calmement.

Il porta la pipe à sa bouche et rangea le tabac dans une de ses poches.

— Helen touchait de coquettes rentes du temps où nous étions mariés. De quoi constituer un solide pactole en marge des frais inhérents à la gestion du domaine. Voyons, de quoi pouvait-il s'agir ?

Des gouttes de transpiration commençaient à perler sur les tempes de Victoria.

— Une police d'assurance ? suggéra-t-il en craquant une allumette.

Il aspira une bouffée de tabac et posa les deux coudes sur la table.

— Ou peut-être bien des actions, continua-t-il. Un bon gros portefeuille d'actions, bien solide et bien vivant.

L'atmosphère bon enfant qui avait précédé cette discussion avait cédé le pas à un épouvantable climat de suspicion. Gretchen avait les doigts crispés sur la nappe. Elliot remuait nerveusement sur son siège et portait sans cesse à ses lèvres une tasse de thé presque vide.

Victoria s'était rarement sentie aussi agressée. Elle avait connu bien des amertumes, bien des désillusions. Mais ce ton faussement paternel constituait pour elle la pire des humiliations. « Il croit que je mens. Mon propre père ! Il ose mettre ma parole en doute ! »

Dans le passé, elle avait cru n'éprouver aucun sentiment à l'égard de John Carroll. Aujourd'hui, sa seule présence l'emplissait de dégoût. Elle aurait tout donné pour fuir l'expression rusée et faussement compatissante de son regard. Dans son désarroi, elle tenta de trouver un peu de réconfort auprès de son demi-frère. Mais Elliot avait disparu.

Elle remarqua alors que la porte était entrouverte. Levant les yeux, elle aperçut le bureau de la réception. Elliot, le dos tourné, se trouvait en grande discussion avec un homme dont sa silhouette lui masquait le visage. Elle s'apprêtait à tourner la tête, quand un mouvement de son frère lui dévoila les traits du visiteur.

Il l'aperçut presque en même temps qu'elle, et elle crut lire dans son regard l'expression d'un profond soulagement. Puis sa douceur s'estompa et sa physionomie revêtit un masque rageur.

Sans se préoccuper davantage d'Elliot, il traversa le restaurant à grands pas et pénétra d'un air résolu dans la salle à manger familiale. Une boule d'angoisse obstruait la gorge de Victoria. Jamais elle n'aurait songé qu'il oserait la poursuivre jusque-là.

Après avoir noté au passage le choc que causait à la jeune femme sa brusque apparition, Clifford s'adressa à elle avec une amabilité trompeuse.

— Bonjour, Miss Carroll !

Victoria éprouva toutes les peines du monde à ne pas courir se jeter dans ses bras. Elle ne devait pas perdre de vue qu'il défendait des intérêts contraires aux siens. Il était son ennemi, au même titre que tous ceux qui mettaient en péril la survie du pensionnat.

— Bonjour, monsieur Pennington, répliqua-t-elle sèchement.

Le notaire échangea un bref salut avec John Carroll et son épouse. Elliot, qui les avait rejoints, rompit la tension qui s'était instaurée dans la pièce en expliquant que Clifford était passé lui remettre un dossier à l'occasion d'un voyage important qu'il effectuait dans la région.

Victoria réprima un éclat de rire hystérique. Elle avait envie de leur crier : « tout ceci est injuste ! Vous êtes désormais quatre contre moi ». Mais elle ne pouvait se permettre de tels propos. L'affaire devait se résoudre sans éclat, dans le respect hypocrite des règles de la bienséance.

Devant l'insistance de John, Clifford s'assit à leur table et accepta la tasse de café que le serveur lui apportait. Puis ils échangèrent quelques propos anodins sur le voyage du notaire. Victoria était incapable d'affronter le regard de Clifford. L'expression de son visage aurait été trop révélatrice de la défiance qu'elle éprouvait aujourd'hui à son égard.

— Ainsi donc, vous avez du nouveau concernant notre affaire ? interrogea John, impatient d'aborder le sujet qui le préoccupait.

Clifford eut un sourire poli.

— Pas exactement, rectifia-t-il. Vous sachant réunis ici, j'ai pensé qu'il ne se présenterait pas de meilleure occasion de régler le différend qui vous oppose.

Victoria croisa nerveusement les jambes sous la table. Lorsqu'elle sentit l'étoffe du pantalon de Clifford effleurer sa jambe, son cœur s'arrêta de battre. Il emprisonna ses jambes avec ses pieds et elle dut faire un violent effort sur elle-même pour endiguer le rouge qui menaçait d'envahir ses joues.

— Je ne savais pas que vos affaires vous conduisaient jusqu'en Europe, Maître, bredouilla-t-elle pour dissimuler sa gêne. J'espère que votre voyage sera couronné de succès.

— En vérité, il s'agit à la fois d'un voyage d'affaires et d'agrément.

Il lui adressa un sourire engageant.

— Je compte bien réussir sur les deux tableaux.

Son regard sombre semblait poser à la jeune femme une foule de questions.

John Carroll se racla ostensiblement la gorge.

— Avant votre arrivée, nous avions commencé à discuter du meilleur moyen de permettre à Elliot d'entrer en possession de sa part d'héritage. Vous serez sans doute heureux d'apprendre que Victoria s'est enfin décidée à suivre la voie de la raison. Elle est résolue à vendre le château.

Libérant sa jambe prisonnière, elle se redressa d'un bond. Tous les regards de l'assistance convergeaient sur elle. Une fois de plus, Elliot semblait prêt à quitter la pièce.

— Tout cela est faux! s'écria-t-elle. Je n'ai encore pris aucune décision. Je... laissez-moi encore un peu de temps.

La réponse de John parut trancher le silence comme la lame d'un couteau.

— Victoria, je me vois malheureusement dans l'obligation d'insister. Il n'y a pas d'autre solution.

Ce ne fut pas le contenu de ses paroles qui blessa le plus la jeune femme, mais l'air déterminé et froid avec lequel elles venaient d'être prononcées. Elle eut le sentiment d'une atteinte intolérable à sa fierté et à sa dignité. Comment John pouvait-il l'humilier ainsi en présence de Clifford? Elle s'affaissa sur sa chaise à la manière d'une vieille dame.

Pendant d'interminables secondes, plus personne ne se risqua à prononcer une seule parole. Un instant, Victoria crut que Clifford était sur le point d'intervenir. Mais il n'en fit rien. Sentant soudain peser sur son corps une extrême lassitude, elle se dressa à nouveau sur ses pieds.

— Dès mon retour à Brayntree, je tenterai de trouver un acquéreur pour le domaine, dit-elle d'une voix qu'elle aurait aimée plus ferme.

Elle n'avait plus rien à faire dans cette maison. Les jambes plus lourdes que le plomb, elle se dirigea vers la sortie.

— Tout se passera bien, Vicky, affirma John avec chaleur. J'ai toujours pensé qu'il était injuste de favoriser un enfant aux dépens d'un autre.

Elle ne prit même pas la peine de hausser le ton lorsqu'elle se retourna pour lui répondre. Pas un muscle de son visage ne tressaillit. Elle se contenta de le fixer d'un regard froid, dans lequel un œil avisé aurait peut-être décelé une étincelle de pitié.

— Ma mère possédait Brayntree bien avant de vous connaître. Vous ne désirez pas cet argent pour Elliot, mais pour vous-même.

Le juron de son père fit courir un frisson d'effroi le long de sa colonne vertébrale. Le souvenir douloureux des scènes violentes qui avaient opposé ses parents lui revint en mémoire. Elle n'eut pas besoin de le regarder pour savoir que ses yeux étaient emplis d'une lueur presque démente, ses narines dilatées et les jointures de ses doigts blêmes. Il ne l'aimait pas, il ne l'avait jamais aimée.

Comme elle atteignait le pas de la porte, le grincement d'une chaise sur le parquet ciré rompit le silence pesant de la pièce. La voix de Clifford déchira l'air comme un coup de fouet.

— Restez où vous êtes, Victoria.

La jeune femme se figea sur place. Comme il s'approchait pour la rejoindre, le doux parfum qu'elle connaissait si bien effleura délicieusement ses narines. Elle aspira une longue bouffée d'air, comme si cette odeur pouvait lui donner la force de survivre à la scène odieuse qui venait de se dérouler. Soulagée, elle laissa ses muscles se détendre et sa tête retomba légèrement en avant.

— Monsieur Pennington! lança John d'un ton accusateur. Je trouve cette situation tout à fait irrégulière. Vous arrivez ici sans même nous prévenir de votre visite et en paraissant entretenir avec ma fille des relations pour le moins... équivoques. Vous êtes le conseiller de mon fils, ne l'oubliez pas. Il vous paie pour défendre au mieux ses intérêts!

Un sentiment de révolte envahit le cœur de Victoria. Depuis le début de l'affaire, Clifford avait fait preuve d'une loyauté sans faille à l'égard de son client. Le courage qu'elle n'avait pas eu pour se défendre elle-même, elle le trouva pour se porter au secours du notaire.

Mais avant qu'elle ait pu ouvrir la bouche, Clifford se tourna d'un air nonchalant vers le maître de maison.

— Je n'ai pas l'habitude d'imposer mes services, cher monsieur. Je vous prierai donc d'accepter ma démission.

— Je l'accepte avec plaisir !

Ce fut au tour d'Elliot de se lever.

— Non, je ne suis pas d'accord ! s'écria-t-il avec une surprenante véhémence.

Mais John balaya d'un geste son objection.

— Reste en dehors de cette histoire, je te prie.

Pour affronter le notaire d'égal à égal, John avait été contraint lui aussi de quitter son siège.

A cet instant, Victoria comprit que l'avenir de Brayntree n'avait plus grand-chose à voir avec la discussion. Il s'agissait plutôt du conflit de deux volontés, d'une sorte de règlement de compte d'homme à homme d'où il ne pourrait ressortir qu'un gagnant et un vaincu. Effrayée par la tournure que prenaient les événements, elle voulut tenter d'apaiser les esprits, mais Elliot la devança.

— Je vous en supplie, calmez-vous. Nous n'allions pas nous battre pour une question d'argent. Nous formons une famille, n'est-ce pas ce qui importe le plus ?

John laissa échapper un ricanement de mépris.

— Monsieur Pennington connaît tous les ressorts de cette affaire, insista Elliot. Il saura mieux que personne régler le différend qui nous oppose. C'est moi qui ai fait appel à ses services et j'exige qu'il poursuive son travail.

Il s'était rarement opposé avec autant de détermination à la volonté de son père. Mais cette

révolte soudaine ne fit qu'attiser la fureur de
John.

— Pauvre idiot! s'exclama-t-il. Tu ne vois
donc pas que cet individu se moque pas mal de
ses engagements. En réalité, il ne s'intéresse qu'à
la dot de ta sœur.

L'horreur vida Victoria de toutes ses forces.
Elle adressa un regard misérable à Gretchen
mais celle-ci resta de glace comme si l'atrocité de
cette scène l'avait contrainte à fermer les yeux et
à se réfugier dans un autre monde.

Plus par réflexe que par conviction, elle tenta
d'intimer le silence à son père.

— Vous n'avez pas le droit...

Mais sa voix se brisa.

— A ta place, je n'essaierai pas de nier l'évidence, Vicky, fit John d'un ton moqueur. Tu sais,
ce n'est pas bien de corrompre ceux qui sont
chargés d'appliquer la loi. Dis-moi un peu, que
lui as-tu fait pour le détourner ainsi de son
devoir?

Des larmes embuèrent la vue de Victoria. Elle
avait l'impression que ce cauchemar n'en finirait
jamais. Soudain, une ombre s'interposa entre son
père et elle. Sans se soucier de la menace contenue dans son regard, Clifford s'approcha du vieil
homme.

— Quel sorte de père êtes-vous donc?
demanda-t-il avec un calme effrayant. Comment
osez-vous dresser vos enfants l'un contre l'autre
pour une sordide affaire de gros sous?

John agrippa violemment le dossier de sa

chaise. Sans doute aurait-il préféré porter les mains au cou de son interlocuteur.

— Que savez-vous du rôle d'un père ? questionna-t-il en serrant le bois avec tant de force que ses phalanges blêmirent.

— Je sais en tout cas ce qu'un père digne de ce nom ne doit pas faire ! rétorqua Clifford d'une voix tendue.

— Je me moque de vos leçons de morale, monsieur Pennington. J'ai connu beaucoup d'individus de votre espèce dans mon existence. Des enfants gâtés qui ignorent tout de la misère qui les entoure. Sortez de ma maison et retourner jouer les notaires de parade parmi ceux de votre monde. Vous n'avez plus rien à faire ici.

Victoria était envahie d'une honte si profonde qu'elle avait envie de courir se réfugier dans les bras de Gretchen pour lui demander pardon de l'odieux comportement de son père. Portant une main horrifiée à sa bouche, elle vit Clifford s'emparer de son attaché-case et le déposer sur la table.

La valise s'ouvrit avec un bruit sec. Tous les yeux étaient rivés sur le notaire. D'une main ferme, il sortit un chéquier et le déposa sur la table. Quelques secondes plus tard, le déchirement d'un feuillet arraché à son talon retentit dans le silence pesant de la pièce.

— Que... que faites-vous ? balbutia Victoria en s'approchant.

Déjà, Clifford avait déposé le carré de papier

bleu dans la main d'Elliot. Effaré, le jeune homme parcourut le chèque du regard.

— Mais, monsieur Pennington, je ne comprends pas...

— Vous revendiquiez bien la somme de deux cent mille dollars, n'est-ce pas ?

Elliot faillit s'étrangler de surprise. Son père vint lire le chèque par-dessus son épaule.

— Il n'y a rien d'autre à comprendre, reprit le notaire. Je vous enverrai tous les papiers à signer dès mon retour à Williamsburg.

Puis, considérant John d'un air méprisant :

— Il ne s'agit pas d'un chèque sans provision, monsieur Carroll. Votre fils n'aura aucune difficulté à l'encaisser.

Il referma son attaché-case et ajouta :

— J'espère que vous ferez un bon usage de cet argent. Votre fille ne vous doit plus rien à présent.

Les épaules de John s'affaissèrent. La partie était gagnée, il avait récupéré la part d'héritage d'Elliot.

Il fit un pas en direction de Clifford.

— Monsieur Pennington... commença-t-il avec une amabilité soudaine.

Mais l'expression peinte sur le visage du notaire le dissuada de poursuivre.

Victoria avait suivi sans comprendre la scène qui venait de se dérouler sous ses yeux. Machinalement, elle s'avança vers son père, mais la main de Clifford se referma avec force sur son avant-bras.

— Allez chercher vos bagages, Victoria. Nous partons.

Il avait parlé d'un ton ferme et posé, sans que sa voix ne trahisse la moindre émotion.

Il pivota sur ses talons puis parut soudain se raviser et se retourna comme s'il avait oublié quelque chose d'important.

— J'ai été très heureux de faire votre connaissance, madame Carroll, fit-il en s'inclinant courtoisement devant Gretchen. Peut-être aurons-nous l'occasion de nous revoir dans des circonstances moins pénibles pour nous tous. Vous venez, Victoria ?

Avant que Gretchen ait eu le temps d'ouvrir la bouche, il prit le bras de sa compagne et la poussa vers la sortie. Victoria tenta vainement de protester. Elle prenait seulement conscience du fait que Clifford venait de remettre à Elliot un chèque de deux cent mille dollars.

— Mais, je... bredouilla-t-elle tandis que Clifford l'entraînait vers la montée d'escaliers.

— Mais rien du tout, coupa-t-il en l'obligeant à lui faire face.

Son envie de la serrer contre lui était si forte qu'il dut faire appel à toute sa volonté pour ne pas l'attirer violemment dans ses bras. Ses yeux parcouraient le visage plein d'émotions de la jeune femme et il se demandait comment John Carroll avait eu le cœur de la faire souffrir.

— Pouvez-vous boucler seule vos valises ? J'ai quelques coups de téléphone à donner avant notre départ.

Elle continuait à le contempler d'un œil hagard. Lorsqu'elle voulut lui répondre, aucun son ne parvint à jaillir de sa gorge nouée.

— Je vous en prie, Victoria, ressaisissez-vous. Cette scène odieuse est terminée. Et je n'ai qu'une hâte : quitter le plus rapidement possible cet endroit.

Incapable de prononcer une seule parole, elle gravit la première marche et se rendit dans sa chambre. Avec des gestes d'automate, elle se mit à entasser ses vêtements dans sa valise. Peu à peu, son esprit recommençait à fonctionner.

Clifford venait de remettre à Elliot un chèque qui couvrait la totalité de sa part d'héritage. L'homme qu'elle aimait — et qui s'apprêtait à en épouser une autre — possédait aujourd'hui la moitié de Brayntree !

Chapitre 9

— Comment vous sentez-vous, Victoria ?

En marmonnant, Clifford essaya de trouver une position plus confortable sur son siège. Sa haute silhouette se trouvait toujours à l'étroit dans une cabine d'avion. Il plia une jambe et la posa contre le dossier placé devant lui.

Pendant tout ce temps, il n'avait cessé d'observer sa compagne. Un pâle rayon de soleil éclairait son visage fatigué.

— Je ne sais pas, répondit-elle en toute franchise. J'éprouve une envie irrésistible de pleurer, mais je n'en ai même plus la force. Je ne cesse de me demander pourquoi mon père a agi avec autant de cruauté, sans trouver la moindre réponse satisfaisante. Je comprends un peu mieux aujourd'hui que ma mère ait préféré finir ses jours sans lui. A vrai dire...

— Oui ? encouragea Clifford.

— Eh bien, la certitude de ne plus jamais le revoir m'indiffère totalement. Je dois vous sembler bien ingrate. Une fille ne parle pas ainsi de l'homme qui lui a donné la vie...

Il réfléchit un long moment avant de réagir à sa remarque. A quoi songeait-il ? A John ? A elle-même ? Après quelques secondes, son expression énigmatique céda le pas à un mince sourire.

— Victoria, je crois...

Il passa une main dans ses cheveux avant de poursuivre.

— Je crois que vous seriez très surprise si vous connaissiez le fond de ma pensée.

Les épaules de la jeune femme s'affaissèrent.

— Plus rien ne saurait me surprendre de votre part, confessa-t-elle dans un soupir. Vous vous êtes réellement surpassé en signant ce chèque. Je dois vous avouer que je n'ai pas la moindre idée de la manière dont je pourrai vous rembourser.

Il eut un petit rire taquin.

— Il existe pourtant quantité de manières pour une femme de prouver sa reconnaissance à un homme.

Les paupières de Victoria s'ouvrirent toutes grandes. Elle n'était pas d'humeur à supporter ce genre d'allusion.

— Ne soyez pas grossier, Clifford. Je m'acquitterai de ma dette jusqu'au dernier centime. J'ignore encore comment, mais soyez certain que j'y parviendrai.

Songeant qu'il n'avait jamais rencontré de femme aussi fièrement obstinée, Clifford pencha la tête au-dessus de son visage et son souffle souleva doucement les mèches rousses de sa chevelure.

Comme hypnotisée par sa proximité soudaine, elle resta immobile sur son siège, repoussant avec peine l'envie de se réfugier dans ses bras et de s'abandonner au réconfort de son étreinte.

— Pensez-vous que le moment soit bien choisi pour aborder un tel sujet ? Vous venez de traverser une épreuve pénible, Victoria. Accordez-vous au moins quelques heures de répit.

— La vie m'a déjà réservé bon nombre de déconvenues, répondit-elle d'une voix sans timbre. Cet incident ne m'empêchera pas de continuer à vivre.

— Mais vous devez laisser à vos blessures le temps de se refermer. La résistance d'un être humain a des limites qu'il est prudent de ne pas essayer de franchir.

Elle le dévisagea de haut.

— Que savez-vous de mes limites ? Vous me connaissez à peine.

Lorsqu'il posa son front contre le sien, elle ne put réprimer un léger sursaut.

— Victoria, comment pouvez-vous m'aimer et refuser de comprendre que mes sentiments sont indissociables des vôtres ?

Les yeux de la jeune femme s'agrandirent sous l'effet de la stupeur.

— Mais je n'ai jamais dit que...

— Ce matin, à l'auberge, je me sentais autant agressé que vous par les propos de John, mon amour.

Il caressa tendrement sa joue et déposa un baiser furtif dans le creux de sa nuque. Victoria dut réunir toutes ses forces pour ne pas laisser retomber sa tête lourde contre son épaule, en le suppliant de prendre en main sa destinée. Elle se sentait épuisée par les responsabilités qui pesaient sur elle.

Mais soudain, le visage fin et délicat de Faye Chambers se dessina dans son esprit. Elle se redressa et rétablit une distance respectueuse entre son corps et celui de son compagnon.

— Je vous en prie, Clifford, ne m'appelez pas mon amour. Je sais que ces mots ne signifient pas grand-chose dans votre bouche, mais je... je suis trop...

— Oui ? fit-il d'une voix enrouée. Qu'avez-vous ?

Puis il parut renoncer à la questionner davantage.

— Entendu, Victoria. Je vais cesser de vous importuner. Concluons une trêve.

Il leva la main droite et déclara :

— Je vous promets de me soumettre à tous vos désirs.

Elle scruta son visage d'un air méfiant.

— Qu'entendez-vous par le mot trêve ?

— Eh bien, oublions tous nos problèmes jusqu'à notre retour aux Etats-Unis. John, l'école et... ce message laconique sur votre répondeur téléphonique.

Les lèvres de la jeune femme se plissèrent

en une moue qui parut délicieuse aux yeux de Clifford.

— Je parviens très difficilement à m'évader de mes problèmes, dit-elle avec tristesse. Tant qu'ils ne sont pas totalement résolus, je les porte en moi et il est bien rare qu'ils m'accordent un instant de répit.

Clifford éclata de rire.

— Je ne vous savais pas masochiste. Quoi qu'il en soit...

Il jeta un coup d'œil furtif à sa montre.

— Pendant les huit prochaines heures, je ne veux pas vous entendre parler de vos soucis. Vous me suivrez partout les yeux fermés, en me laissant le soin de vous faire découvrir les merveilles de Vienne. Nous déambulerons dans les galeries d'art, visiterons les vieux quartiers de la ville et nous attablerons aux terrasses des cafés les plus chics. Puis nous dînerons comme il se doit dans un cadre romantique avant de passer la nuit à l'hôtel Sacher. Si cela vous chante, vous pourrez arpenter la chambre de long en large pendant que...

La jeune femme fronça les sourcils.

— Passer la nuit ?

D'un geste théâtral, Clifford porta la main à son front.

— Vous voulez que je renonce à dormir ? Non contente de m'empêcher de trouver le repos pendant le jour vous auriez le cœur d'exiger que je reste éveillé toute la nuit ?

Elle haussa les épaules avec exaspération.

— Je n'apprécie pas toujours votre sens de l'humour, Clifford.

— Très bien, laissa-t-il tomber d'un air faussement résigné. Si vous le souhaitez, nous prendrons deux chambres séparées. Mais vous regretterez toute votre vie de n'avoir pas goûté aux sortilèges de la nuit viennoise.

— Cessez de vous comporter en héros de tragédie, soupira-t-elle. Vous savez parfaitement ce que j'ai voulu dire.

L'espace d'un instant, il garda la main suspendue au-dessus des genoux de la jeune femme. Puis, d'un geste découragé, il la laissa retomber sur son accoudoir.

Victoria frémit sur son siège. A son épuisement et à son chagrin, s'ajoutait un atroce sentiment de frustration.

— Clifford, ne m'en voulez pas, fit-elle d'une voix tremblante. J'ai l'esprit trop confus pour accepter vos avances.

— Je ne vous ai même pas effleurée, protesta-t-il.

— C'est vrai, mais vous devez savoir que je ne tolérerai plus désormais la moindre tentative de séduction de votre part.

Il voulut l'interrompre, mais elle ne lui en laissa pas le temps.

— Si vous tenez à notre amitié, vous devez accepter mes conditions. Ne me demandez plus rien et tout se passera pour le mieux.

Clifford demeura silencieux un long moment. Etonnée de son mutisme, elle se tourna pour voir ce qu'il faisait.

Confortablement enfoncé dans son fauteuil, il l'observait, laissant son regard errer sur ses jambes croisées, sur les courbes de ses hanches, sur le dessin de sa poitrine que l'on devinait palpitante sous son corsage. Puis ses yeux s'arrêtèrent sur le sillon de sa bouche.

— Cessez de me dévisager ainsi ! s'indigna Victoria. Pour l'amour du ciel, Clifford, soyez charitable avec moi. Si vous continuez, je sens que je vais devenir folle avant la fin de la journée.

Il eut un rire profond et satisfait.

— Ma chère Victoria, je suis prêt à accepter beaucoup de choses de votre part. Vous pouvez me taper sur les doigts et je rentrerai sagement mes mains au fond de mes poches. Vous pouvez me gronder et j'accepterai de garder mes opinions pour moi. Mais s'il y a une chose que vous ne pouvez m'interdire, c'est bien de vous regarder !

Victoria savait depuis longtemps que rien ni personne ne pouvait empêcher Clifford Pennington d'agir à sa guise.

— Très bien, soupira-t-elle, vaincue. Faites comme il vous plaira.

En réalité, les regards indiscrets de son compagnon ne lui déplaisaient pas autant qu'elle voulait le faire croire. D'une certaine façon, la manifestation de son désir compensait le manque d'amour dont son père avait fait preuve à son égard. Mais qu'adviendrait-il le jour où elle ne pourrait plus se passer de Clifford, de l'éclat chaleureux de ses yeux vifs et du timbre profond de sa voix, si caressante lorsqu'il s'adressait à elle ?

Toute une journée, ils flânèrent ensemble dans les rues de Vienne. Ici, la moindre façade, le moindre coin de rue paraissaient chargés de siècles d'histoire. La plupart des passants portaient un appareil photographique en bandoulière. On ne croisait que des gens au visage souriant et aux bras chargés de paquets.

Les eaux grises du Danube traversaient la ville de part en part. Des tours néo-gothiques s'élançaient vers le ciel. Devant le charme de la vieille cité, Victoria sentit peu à peu son humeur s'égayer. Les paroles cruelles de son père s'estompèrent dans sa mémoire, cédant le pas à la griserie de cette escapade insolite en compagnie d'un homme dont le charme, la distinction souriante et la joyeuse désinvolture ne cessaient de la surprendre et de la séduire.

Au fil des heures, elle tombait un peu plus amoureuse de son compagnon. A ses côtés, la rumeur de la ville se transformait en une douce rengaine et le flot continuel des passants devenait une sorte d'enchantement.

Plusieurs fois, elle le surprit en train de la contempler.

— Vous ne pouvez donc porter vos yeux ailleurs que sur moi ? protesta-t-elle.

— Je prends des photos, se défendit le jeune homme en souriant.

— Mais vous n'avez pas d'appareil !

Il eut un haussement d'épaules.

— Ce n'est pas nécessaire.

La journée passa beaucoup trop vite à leur gré. A midi, ils déjeunèrent dans un restaurant du centre ville, s'attardèrent quelques instants devant un kiosque à musique où un orphéon offrait un concert de valses viennoises, puis reprirent leur promenade à travers les ruelles pavées de la capitale autrichienne. Lorsque Clifford glissa un bras autour de sa taille, la jeune femme ne songea même pas à protester.

— Je suis certain que ces vieilles façades n'ont jamais vu passer de créature plus exquises que vous, chuchota-t-il à son oreille.

D'un geste presque naturel, sa main glissa le long de sa cuisse.

— Vous ne respectez pas les termes de notre marché, s'indigna-t-elle avec un manque évident de conviction.

— Au diable notre marché ! rétorqua-t-il en la relâchant subitement. D'ailleurs, vous l'avez conclu sans mon accord.

Il s'empara des doigts de la jeune femme et les porta tendrement à ses lèvres.

Victoria se sentit rougir.

— Mais que faites-vous ?

— Rien du tout comparé à ce que j'aimerais réellement vous faire !

Il fit une affreuse grimace lorsque, d'un geste décidé, elle retira sa main.

— Oh, regardez ! s'exclama-t-elle en s'arrêtant devant la vitrine d'un magasin d'antiquités.

L'après-midi touchait à sa fin, et les deux jeunes gens avaient fait halte chez la plupart des antiquaires de la ville. Le visage collé à la vitre, Victoria considérait d'un air émerveillé une petite figurine de bronze représentant une danseuse figée dans une posture pleine de grâce et de délicatesse.

Remarquant l'intérêt qu'elle portait à l'objet, la propriétaire du magasin, une dame d'une cinquantaine d'années à la physionomie aimable et aux doigts recouverts de bijoux, s'approcha et se mit à féliciter la jeune femme de son bon goût. En dépit de sa connaissance plus que sommaire de la langue anglaise, elle entreprit de lui relater l'histoire du bibelot qui avait attiré son attention.

Clifford suivait son bavardage d'une oreille distraite. Le charme de sa compagne l'intéressait beaucoup plus que celui de la figurine. Par-dessus l'épaule de Victoria, il rencontra le regard de la vendeuse. Ils échangèrent un sourire complice. Oui, elle était ravissante et il avait bien de la chance de l'avoir à ses côtés.

Se retournant, Victoria posa un doigt sur son avant-bras, à la manière d'une femme s'adressant à son mari.

— Vous entendez ! s'exclama-t-elle en voyant

la vendeuse tourner une clé dissimulée sous le socle de la statuette. Elle joue du Strauss !

Un sourire rayonnant éclairait sa physionomie. Clifford lui adressa un petit salut galant, posa une main sur sa taille et, serrant de l'autre extrémité de ses doigts, l'entraîna dans un pas de valse.

Ravie de cette scène, la propriétaire du magasin interpella en allemand quelques badauds qui se trouvaient à proximité. Rapidement, un petit attroupement se forma autour de la boutique.

Clifford ne lâchait pas des yeux le visage de sa compagne.

— Je crois qu'ils attendent de nous une petite représentation, chuchota-t-il à son oreille.

Elle protesta doucement, tout en riant de cette scène inattendue.

— Mais voyons, Clifford...

La main du jeune homme étreignit plus fermement sa taille.

— L'homme est roi pendant la danse ! décréta-t-il.

Elle haussa légèrement les épaules.

— Fort bien, Majesté, à vos ordres !

Charmés par le spectacle de ce couple valsant avec élégance sous les arcades où se défiaient jadis les orchestres des plus grands compositeurs viennois, les passants commencèrent à leur adresser toutes sortes d'encouragements et se serrèrent contre les murs pour leur laisser davantage d'espace. Une jeune Française se faufila en hâte au premier rang pour les photographier. Le

flash scintilla vivement dans la lumière du cré-
puscule, faisant cligner les paupières de Victoria.

Quand la musique s'arrêta, elle demeura
immobile quelques secondes, comme perdue
dans un rêve délicieux. La scène n'avait duré
qu'une minute ou deux, pourtant son visage était
rouge de l'effort qu'elle venait de fournir. Elle ne
pouvait se douter de la vision charmante qu'elle
offrait à son compagnon.

D'un geste galant, il souleva sa main et y
déposa un tendre baiser. Une salve d'applaudis-
sements retentit sous les arcades.

Confuse, la jeune femme baissa les yeux.

— Non, Clifford, c'est de la folie, souffla-t-elle
quand la vendeuse remit au notaire la petite
figurine emballée dans un papier d'argent. Cet
objet doit valoir une fortune...

Il se contenta de poser un doigt sur sa bouche
pour lui intimer le silence.

— Vous formez un couple merveilleux! lui
déclara la vendeuse avec enthousiasme. Je vous
souhaite beaucoup de bonheur et des filles aussi
belles que vous!

Victoria détourna le regard avec embarras.
Elle avait hâte d'échapper à la curiosité qu'ils
venaient de susciter parmi cette foule d'incon-
nus.

— Vous n'auriez pas dû m'acheter cette statuette, protesta-t-elle une dernière fois tandis
qu'ils prenaient congé de l'antiquaire et s'éloi-
gnaient en direction d'une rue voisine.

— Nul n'est en droit de dicter au roi l'usage

qu'il doit faire de son argent! rétorqua le jeune homme en souriant.

— Majesté, je risque de vous sembler bien téméraire mais je suis malheureusement dans l'obligation d'insister. Tout d'abord il y a eu ce chèque que vous avez remis à Elliot — et Dieu seul sait comment je pourrai vous le rembourser — et maintenant... combien vous a coûté cette figurine?

Clifford la considéra d'un air réprobateur.

— Votre maman ne vous a jamais dit qu'il était impoli de s'informer du prix d'un cadeau? Victoria, mon enfant...

Il secoua la tête avec exagération.

— Il y a des moments où je ne vous comprends plus!

— Ma mère m'a surtout appris qu'une jeune fille ne doit pas accepter de cadeaux d'un homme.

Il renifla avec mépris.

— Une tradition dépassée. Elle ne signifie plus rien de nos jours!

— Dans ce cas, vous me voyez confuse, majesté. Pardonnez-moi de vous avoir offensée.

Un petit rire jaillit des lèvres de son compagnon.

— Ne vous inquiétez pas, mon amour, je ne vous tiendrai pas rigueur de cet incident.

Après cet intermède, Victoria se sentit beaucoup plus détendue. De temps à autre, elle jetait un coup d'œil au paquet qu'elle tenait entre ses mains pour s'assurer qu'elle n'avait pas rêvé la scène qui venait d'avoir lieu. C'était le cadeau le plus précieux qu'on lui ait offert. Il ne se passerait sans doute pas un jour désormais sans qu'elle contemplât la petite danseuse avec émotion en lui faisant jouer la valse de Strauss.

Comme ils marquaient une halte devant une longue rangée de statues, Clifford plongea un regard perçant sur son visage.

Elle haussa les sourcils en signe d'étonnement.

— Qu'avez-vous, Clifford ? Pourquoi me regardez-vous ainsi ?

— Je suis en train de vous embrasser, chuchota-t-il. Vous ne sentez pas mon baiser ?

Lorsqu'il leva la main, elle ne put réprimer un léger sursaut. Du doigt, il dessina le contour de sa lèvre inférieure. La bouche de la jeune femme se mit à trembler.

— Vous ne le sentez pas ? insista-t-il. Ici... et là ?

Victoria baissa les yeux.

— Oui, souffla-t-elle, incapable de contenir plus longtemps le trouble qui l'avait envahie.

— Alors, dites-moi que vous m'aimez, dit-il avec douceur. Toute ma vie j'ai rêvé cet instant. Victoria, je vous en supplie.

Détournant avec peine le regard, elle ôta d'un air absent la neige qui s'était accumulée sous ses chaussures. N'attendait-elle pas elle aussi ce moment depuis une éternité ?

Pourtant, l'aveu de son amour risquait de la rendre plus vulnérable encore dans ses relations avec le jeune homme. Une fois de plus, l'image de

Faye Chambers vint s'interposer entre elle et son compagnon.

— Ne m'obligez pas à rendre les choses plus difficiles qu'elles ne le sont, le supplia-t-elle.

— Mais vous m'aimez, n'est-ce pas ?

Son insistance l'effrayait. Comment pouvait-il lire aussi fidèlement au fond de son cœur ?

— Oui, chuchota-t-elle enfin.

— Regardez-moi, Victoria.

Ils se trouvaient au beau milieu d'un passage entre deux artères fort animées. Tout près d'eux, un groupe d'adolescents venait de se lancer dans une bataille de boules de neige qui emplissait l'atmosphère d'éclats de rire joyeux. Mais Clifford semblait totalement indifférent à la foule qui les entourait. Il ouvrit un bras, puis l'autre, et l'attira tendrement contre lui.

— Encore, murmura-t-il avec douceur. Dites-le-moi encore, Victoria.

Les yeux embués de larmes, elle répéta :

— Oui, je vous aime.

Lentement, il prit possession de ses lèvres.

— Nous sommes si bien ensemble, mon amour. Je vous désire, Victoria. Je vous désire comme jamais je n'ai désiré une autre femme.

Mais elle le repoussa avec détermination.

— Clifford... Ce que nous faisons est mal...

Sans prêter attention à ses paroles, il effleura une nouvelle fois sa bouche. La jeune femme jetait des regards apeurés autour d'elle. Les sourires des passants l'emplissaient de confusion. Et puis à quoi bon se leurrer ? Dès leur retour à

Williamsburg, il leur faudrait mettre fin à leur relation.

— Clifford, je vous en supplie, arrêtez...

Mais il restait sourd à ses protestations. De ses lèvres avides, le nom de la jeune femme jaillissait, comme une incantation, comme une supplique à se rendre à la raison supérieure de leur amour.

La résistance de Victoria fut de courte durée. Etourdie par ses caresses, grisée par les appels insistants de sa voix, elle finit par perdre tout contrôle sur elle-même. Comme s'ils guettaient depuis le début cette capitulation, ses bras s'enroulèrent avec passion autour du cou de son compagnon.

— Partons d'ici, suggéra ce dernier entre deux baisers.

Cette courte interruption les ramena soudain à la réalité. Autour d'eux, la bataille de boules de neige se poursuivait de plus belle. Obéissant à une impulsion trop longtemps refrénée, Clifford se baissa pour confectionner une boule de neige et la lança avec force sur l'un des jeunes garçons.

— Clifford !

Victoria ne l'aurait jamais cru capable de se livrer à des jeux aussi frivoles. Ravis de cette intervention, les enfants concentrèrent leurs tirs sur le jeune homme. Seul contre dix, il dut rapidement se résoudre à la défaite.

— Assez, assez ! cria-t-il en levant les deux mains au-dessus de sa tête.

Les gamins sautillaient de joie autour de lui.

Après avoir effectué une sorte de danse du scalp, ils s'éloignèrent des deux jeunes gens en leur adressant de grands signes de la main.

— Eh bien ? s'exclama Victoria avec amusement. Qu'attendez-vous de moi ? Des félicitations ?

Clifford brossait avec soin ses vêtements couverts de neige. Ses cheveux humides retombaient comme un casque sur son front.

— C'est le moins que puisse espérer un chevalier servant pour avoir fait assaut de bravoure devant sa dame, fit-il dans un éclat de rire.

— Tout cela n'est guère sérieux de votre part, professeur Pennington... Et que diraient vos élèves s'ils vous voyaient battus par une poignée d'adolescents ?

— Je suis bien sûr qu'à ma place ils en auraient fait autant. Eux aussi risqueraient leur vie pour vos beaux yeux, Victoria.

Elle sourit gaiement. Mais son bonheur fut de courte durée. Comme un spectre malfaisant, le souvenir de Faye vint une nouvelle fois hanter sa mémoire. Au téléphone, Clifford avait prétendu lui avoir parlé. Mais quel avait été le contenu exact de ses paroles ?

Chapitre 10

L'*Hôtel Sacher* était un établissement de style baroque, aux murs recouverts de velours grenat et aux plafonds ornés de lustres d'or et de cristal. Les fastes du hall d'accueil et la solennité du personnel mirent un comble au ravissement de Victoria. Depuis leur arrivée à Vienne, elle avait l'impression d'évoluer en marge du temps, à la frontière du rêve et de la réalité.

— Cet endroit est réellement typique de la ville, observa-t-elle à l'adresse de son compagnon.

Clifford sourit avec indulgence.

— Ce que j'aime le plus chez vous, c'est l'originalité de vos remarques.

— Oh, taisez-vous ! grommela-t-elle, ravie au fond d'elle-même de cette petite querelle d'amoureux.

Après un délicieux dîner aux chandelles, ils s'installèrent dans le confortable salon de l'hôtel.

— Les huit heures sont écoulées, Clifford, déclara la jeune femme en fronçant subitement les sourcils. Le moment est venu de parler de choses sérieuses.

Avec un léger soupir, il fit un signe de la main au serveur.

— Je ne pensais pas que vous auriez le cœur de rompre le charme de cette journée, dit-il d'un air de reproche.

— Quel que soit le plaisir que j'ai pris à cette promenade dans Vienne, je ne saurais oublier les problèmes que nous avons à résoudre.

Devant sa fermeté, il se résolut à l'écouter.

— Eh bien soit. De quoi désirez-vous tant parler ?

— Avons-nous le choix ? s'indigna-t-elle. De Faye, naturellement.

— Humm...

Elle avait espéré qu'il se livrerait facilement, sans l'obliger à le harceler de questions. Mais à l'évidence, il n'était pas décidé à coopérer.

— Je préférerais être suffisamment égoïste pour me moquer de votre relation avec elle, commença-t-elle, les yeux fixés sur ses genoux.

Le serveur déposa deux coupes de champagne devant eux et s'éclipsa discrètement. Nerveuse, Victoria guettait une réaction de son compagnon. Comme il restait silencieux, elle se décida à poser la question qui lui brûlait les lèvres depuis son départ de Brayntree.

— Vous lui avez parlé de moi ?

— Non.

Un coup de poignard en plein cœur ne l'aurait pas blessée plus cruellement.

— Je vois, murmura-t-elle avec froideur.

— Non, vous ne voyez pas.

Il souleva son verre, en but une gorgée et le reposa devant lui.

— Pour ma défense, je dois vous avouer que j'ai accepté ces fiançailles avec Faye à une époque où ma vie était totalement vide de sens. J'étais bardé de diplômes, je menais une existence dorée, entouré de l'amitié de mes proches et du respect des notables de la ville et pourtant... je m'ennuyais à mourir.

Un soupir lui échappa.

— Je ne l'aime pas et je ne l'ai jamais aimée. De son côté, elle me porte une vive affection, rien de plus. Depuis des années, nous partageons une amitié faite de complicité et de tendresse. Je ne veux surtout pas lui faire de mal.

— Je partage vos sentiments, Clifford. Pour rien au monde je n'accepterais de la faire souffrir. D'ailleurs, j'ai essayé maintes fois de préserver ses intérêts dans cette... cette...

— Cette aventure ?

La voix de Clifford était glaciale. Victoria se sentit rougir. Elle secoua la tête avec lassitude.

— Le terme n'est pas très bien choisi, balbutia-t-elle.

Clifford n'avait aucune envie de s'expliquer davantage. Il était amoureux de Victoria et leur relation lui imposait un certain nombre de contraintes. Pourtant, il n'était pas encore prêt à lui dévoiler tous les secrets de son cœur.

— J'ai simplement déclaré à Faye que j'avais

changé d'avis au sujet de notre mariage. J'ai
pensé qu'il n'était pas très habile de lui parler
d'emblée des sentiments que je nourris à votre
égard.

— Comment a-t-elle réagi ?

— Elle m'a suggéré de réfléchir encore à ma
décision et de lui en reparler dans quelque
temps.

Un long frémissement parcourut le corps de
Victoria. Elle repoussa son verre avec violence
avant de laisser éclater sa colère.

— Et vous avez mis à profit ce délai de
réflexion pour vivre cette petite escapade avec
moi ! Je suis navrée de vous décevoir, Clifford,
mais je n'ai rien de ces femmes avides d'aventures qui s'étourdissent le temps d'un voyage
avant de retrouver comme si de rien n'était leurs
petites occupations quotidiennes. Je dois vous
avouer que je... que je suis...

— Que vous êtes tombée amoureuse de moi.

— Non... enfin, ce n'est pas ce que je voulais
dire. Votre égoïsme me révolte. Vous revendi-
quez tout pour vous : la compréhension de Faye
et mon...

Elle n'eut pas le courage de poursuivre. Le
visage de Clifford était vide de toute expression.
Un instant, elle crut qu'elle allait se lever pour
le gifler. Il semblait prendre un malin plaisir à
masquer sans cesse ses sentiments. Quand réus-
sirait-elle à connaître enfin le fond de sa pensée ?

— Pourquoi me regardez-vous ainsi ? lança-t-
elle d'un ton coupant.

— Je songeais à votre mère, répondit le jeune homme de façon inattendue.

A l'évocation de la disparue, Victoria sentit sa colère fondre comme neige au soleil.

— Je pense que nous aurions été tout de suite amis, poursuivit Clifford.

— Pourquoi ?

— Parce que je vous aime.

Elle se mordit les lèvres jusqu'au sang. Une grosse larme roula sur sa joue.

— Je voudrais qu'elle soit encore là. Elle me manque terriblement.

— A cause de John ?

— A cause de John et de toutes les incertitudes qui pèsent sur mon existence. Elle seule aurait su me conseiller.

Leurs regards se croisèrent et elle lut une sincère compassion sur le visage de son interlocuteur. Elle aurait voulu trouver le courage de lui dire qu'elle l'aimait comme elle n'avait jamais aimé aucun homme et qu'elle l'aimerait jusqu'à son dernier souffle. Mais elle redoutait d'accroître par cet aveu la tension qui planait entre eux.

— Clifford, répondez-moi sincèrement, implora-t-elle avec une timidité soudaine. Suis-je autre chose à vos yeux qu'une simple passade ?

Sa question parut susciter un vif désappointement chez son compagnon.

— Parfois, je me sens anéanti par votre attitude, soupira-t-il.

— Qu'attendez-vous de moi ? Que je me laisse compter fleurette en souriant tandis que vous

déployez mille ruses pour ménager la sensibilité
de votre mère et de votre fiancée ?

— J'essaie aussi de ménager la vôtre !

Elle sentit qu'il se penchait au-dessus de la
table pour tenter de capter son regard.

— Vous pourriez me prêter un peu d'attention
quand je vous parle ! s'écria-t-il avec colère.

Elle eut un soubresaut de dépit.

— Je ne suis pas certaine d'apprécier ce que
mes yeux voient lorsqu'ils se posent sur vous.
Vous n'auriez pas dû me poursuivre jusqu'ici,
Clifford.

— Mon intervention auprès de votre père n'a
pourtant pas semblé vous déplaire. J'ai même eu
l'impression qu'elle tombait à point nommé pour
vous tirer d'un fameux guêpier !

La jeune femme tressaillit comme s'il venait de
poser le doigt sur une blessure encore à vif.

— Je vois, grinça-t-elle entre ses dents. Vous
aviez l'intention de vous acheter une maîtresse
pour deux cent mille dollars ! Il est vrai que je ne
peux pas vous refuser grand-chose après un tel
acte de générosité. Félicitations, vous avez gagné
la partie !

Il se leva de son siège avec la dignité d'un
monarque outragé. Victoria regretta aussitôt
d'avoir mis autant de haine dans ses propos. Un
instant, elle fut sur le point de se jeter à ses pieds
pour implorer son pardon. Mais son orgueil la
retint.

— Vous vous trompez, Victoria, murmura le
jeune homme avec tristesse. J'ai perdu, au

contraire. Et le plus étrange, c'est que j'ignore la signification exacte de cette défaite.

Il pivota sur ses talons et s'éloigna en direction du hall d'accueil. Victoria n'arrivait pas à croire qu'ils puissent se séparer ainsi. Elle fouilla en hâte dans son sac et jeta deux billets sur la table avant de s'élancer sur ses talons avec le calme et la dignité nécessaires pour ne pas trop attirer l'attention sur son passage.

Lorsqu'elle atteignit le hall, Clifford avait déjà retiré la clé de sa chambre à la réception. Elle le vit qui se dirigeait d'une démarche lourde vers les ascenseurs. Quand l'une des cabines s'ouvrit, il jeta un bref coup d'œil de côté et leurs regards se croisèrent. Jamais elle n'avait décelé autant de détresse sur son visage.

« Je ne voulais pas vous faire souffrir ! » criait une voix au fond de son cœur. Mais bien sûr, il ne pouvait l'entendre.

Les portes de l'ascenseur se refermèrent dans un bruit sec. Leur querelle avait anéanti en quelques secondes le délicieux souvenir de la journée qu'ils venaient de passer dans les rues de Vienne. A bout de forces, Victoria s'effondra sur la chaise la plus proche. L'orgueil n'avait pas sa place dans une histoire d'amour. L'un d'eux consentirait-il à surmonter sa fierté pour leur permettre de retrouver le climat de confiance et d'amitié des heures passées ?

Lorsqu'elle referma la porte de sa chambre derrière elle, elle fit avec amertume le constat de son immense solitude. Elle s'en voulait d'avoir agi avec autant de cruauté à l'égard de Clifford. Elle se détestait, détestait cet hôtel luxueux et soudain hostile ainsi que l'homme qui depuis des semaines obsédait ses pensées.

« Au moins, songea-t-elle, le chagrin m'aidera à trouver le sommeil. » Mais ses larmes même refusèrent de couler et elle resta immobile des heures entières, les yeux rivés sur le plafond, impuissante à endiguer le désespoir qui déchirait son cœur.

Ce ne fut qu'aux environs de minuit qu'elle parvint à sombrer dans une semi-torpeur peuplée de terribles cauchemars.

Lorsqu'elle se réveilla, son esprit était encore empli de ses préoccupations de la veille. Son cerveau épuisé par le manque de sommeil se trouvait en proie à une vive confusion. Elle se retourna pour appuyer sur l'interrupteur de sa lampe de chevet. Les aiguilles de sa montre indiquaient à peine trois heures du matin. Seigneur, que cette nuit était longue !

Se glissant à nouveau sous ses couvertures, elle tenta d'analyser la situation avec plus de calme. Après quelques minutes, elle décida d'aller trouver Clifford pour essayer de réparer le mal qu'elle lui avait fait.

Le corps parcouru de frissons, elle se dirigea vers la salle de bains. Le jet glacé de la douche sur sa peau moite lui donna l'impression que des milliers d'aiguilles s'enfonçaient dans sa chair. Mais peu à peu, le brouillard qui enveloppait ses

pensées se dissipa. Un séchage énergique acheva
de lui éclaircir les idées.

De retour dans sa chambre, elle se brossa les
cheveux avec soin, s'habilla d'un chandail et d'un
pantalon de velours sombre et appliqua une
légère touche de rouge sur ses lèvres. Ses préparatifs achevés, elle sortit dans le couloir et
referma en silence la porte derrière elle.

Sa conversation avec Clifford ne lui prendrait
que quelques minutes. Après quoi, elle regagne-
rait sa chambre et parviendrait peut-être à trouver un peu de repos.

Cependant, sa détermination faiblissait à
mesure qu'elle approchait de la porte de Clifford.
Elle dut rassembler toutes ses forces pour se
résoudre à frapper contre le battant. En attendant sa réponse, elle se répéta les excuses qu'elle
souhaitait lui adresser.

Après un long silence, un verrou grinça et la
porte s'ouvrit enfin. A la vue du jeune homme,
Victoria oublia jusqu'à l'objet de sa visite. Son
teint était blême et des cernes profonds entouraient ses yeux sans vie. On eût dit qu'il venait
d'échapper aux flammes de l'enfer.

— Je... pardonnez-moi de vous déranger à une
heure aussi tardive, balbutia-t-elle.

Un vif soulagement parut se peindre sur les
traits du notaire. Lentement, il tendit les bras et
enveloppa ses épaules tremblantes.

Victoria espérait qu'il parlerait, qu'il chucho-
terait à son oreille des propos rassurants. Mais il
n'en fit rien. Incapable d'articuler un mot, elle se

blottit contre lui et tenta de trouver un peu de réconfort dans la chaleur de son étreinte.

— Qu'avez-vous, Victoria? Pourquoi cette visite nocturne?

— Je... je suis venue m'excuser.

Lorsque les doigts du jeune homme s'insinuèrent sous son pull-over elle sut qu'elle venait de commettre une nouvelle erreur en entreprenant, à une heure aussi avancée de la nuit, cette tentative de réconciliation.

— Vous n'avez pas à vous excuser, fit-il en effleurant les contours de ses seins.

— J'y tiens, insista-t-elle. Je voulais que vous sachiez à quel point je regrettais mon attitude de tout à l'heure.

Mais il ne l'entendait plus. Le contact de son corps délicatement parfumé le rendait fou de désir. Dans son esprit si longtemps torturé par le chagrin, il ne faisait pas de doute qu'en venant le trouver, la jeune femme avait décidé de s'offrir à lui.

Victoria sentit un profond désappointement l'envahir en constatant à quel point il semblait se moquer de ses paroles.

— Je n'aurais pas dû venir, articula-t-elle en tentant de se dégager de son étreinte. Je croyais... je ne sais pas au juste ce que j'imaginais mais... je me sentais seule et pleine de remords. J'avais besoin de savoir que vous m'aviez pardonné et que...

Le jeune homme la relâcha sans résistance. Pourtant, le contact de ses doigts avides de caresses restait étrangement imprégné dans sa chair. Il exhala un bref soupir.

— J'aurais aimé plus d'honnêteté de votre part, Victoria.

Elle commençait à regretter sa naïveté. Comme une enfant, elle avait cru qu'il l'embrasserait tendrement en lui assurant qu'il ne lui tenait pas rigueur de ses terribles accusations. Au lieu de cela, il mettait ouvertement en doute sa sincérité.

Les muscles de ses mâchoires saillaient de façon menaçante. Effrayée par la violence qu'elle sentait naître en lui, la jeune femme baissa les yeux.

— Je suis parfaitement honnête, bredouilla-t-elle.

— Non et je crois même que vous prenez un réel plaisir à mettre ma patience à l'épreuve.

— C'est absolument faux !

Elle lui jeta un regard indigné. Mais Clifford se soucia peu de ses paroles. Il avait posé les doigts sur les boutons de son chandail et commençait à les dégrafer un à un.

— Je ne suis pas venue pour cela ! s'écria-t-elle en laissant éclater sa colère.

Sourd à ses protestations, Clifford fit glisser le pull-over sur ses épaules nues. Dans un geste de défense, elle croisa les bras sur sa poitrine.

Sans effort, il libéra ses seins tendus de ce bouclier dérisoire.

— Pourquoi ? questionna-t-il d'un ton impérieux. Pourquoi êtes-vous venue me trouver en pleine nuit alors que vous savez pertinemment que je vous désire à en perdre la raison ? Pensez-vous qu'il n'y ait pas de limites à ce qu'un homme est en mesure de supporter ? Je sens encore l'odeur du savon et du parfum sur votre peau, Victoria.

Se penchant en avant, il huma la base de son cou avec délice.

— Vous partagez mon désir, avouez-le.

Il laissa errer sa bouche sur les contours de ses seins. Emportée par un vertige effrayant, Victoria ne savait plus si elle devait l'arrêter dans sa folie ou surmonter au contraire ses réserves et s'offrir sans retenue à ses caresses.

Les lèvres du jeune homme continuaient à errer sur sa poitrine offerte.

— Clifford, je vous en prie, soupira-t-elle. Ce que vous faites n'est pas bien.

Elle ramassa son pull et tenta d'en recouvrir ses épaules. Mais il l'en empêcha.

— Non, Clifford, arrêtez, je vous en supplie.

Il laissa échapper un ricanement plein de mépris.

— Vous êtes comme toutes les autres, n'est-ce pas ? Vous n'avez de cesse de me voir me traîner à vos pieds mais vous êtes incapable d'assumer les conséquences de vos actes. Un homme est un homme, vous devriez le savoir à votre âge.

Un nouveau rire jaillit de sa gorge.

— Vous pouvez bien hurler et appeler au secours si cela vous chante, je m'en moque éperdument !

— Clifford, lâchez-moi et allez vous coucher. Nous reprendrons notre conversation quand vous aurez retrouvé vos esprits. Je regrette de vous avoir importuné.

Le départ de Victoria constituait pour lui une injure suprême. En quelques enjambées, il franchit la distance qui les séparait. Elle se retourna au moment précis où il levait la main pour s'emparer de son poignet et ses doigts heurtèrent son épaule de plein fouet. Croyant déceler dans cet incident un acte d'agression délibéré, Victoria serra les poings et se mit à marteler son torse avec une fureur presque démente.

Etouffant un juron de surprise, Clifford tendit le bras pour se protéger de ses coups. Voyant que cela ne servait qu'à décupler la rage de son adversaire, il se résolut à emprisonner d'une main de fer ses poignets. Victoria émit un gémissement de douleur.

— Calmez-vous, ordonna-t-il. Je vous en prie, calmez-vous ! Je n'ai pas voulu vous frapper, je vous le jure.

Mais elle ne l'entendait pas. Toutes les souffrances qu'elle avait endurées au cours des dernières semaines défilaient en accéléré dans son esprit et elle reportait sa révolte sur l'homme qui se trouvait en face d'elle, le frappant pour se venger de la cruauté de son père, de la menace qui planait sur Brayntree et des tourments que sa liaison avec Faye Chambers infligeaient à son cœur.

Elle luttait avec tant d'acharnement que Clifford dut la plaquer au sol pour repousser ses assauts. Ce fut seulement de cette manière qu'il parvint à maîtriser les mouvements inconsidérés que lui dictaient sa souffrance et sa fureur.

Comme si cette lutte éperdue avait encore l'intensité de son désir, il la couvrit de tout le poids de son corps et l'embrassa avec passion.

— Non, hurla-t-elle lorsqu'elle parvint à libérer sa bouche de l'avidité de ses lèvres. Si vous ne me laissez pas immédiatement partir, je ne vous le pardonnerai jamais !

Une étincelle moqueuse scintilla dans son regard.

— Oh si, mon amour, soyez bien sûre que vous me le pardonnerez, souffla-t-il tout près de son oreille.

Il échappa de justesse à son coup de griffes. Mais son geste la surprit suffisamment pour qu'elle parvînt à lui échapper.

Victoria ne sut jamais comment il réussit l'exploit de se remettre sur pieds et de la rattraper avant même qu'elle ait eu le temps d'atteindre la porte. Avec une remarquable aisance, il la souleva entre ses bras et la déposa sur son lit.

Elle eut beau se débattre, le traiter de tous les noms, rien ne fut en mesure de fléchir sa détermination. Mais en même temps qu'elle tentait de s'opposer à ses desseins, Victoria sentait naître au creux de ses reins un désir brûlant. Jamais elle n'aurait pu concevoir l'idée de s'offrir à un homme de cette façon. Honteuse des pensées troubles qui germaient au fond de son cerveau, elle enfouit son visage entre ses mains.

— Vous ne pouvez m'imposer cela ! gémit-elle en sentant ses doigts s'approcher dangereusement de la fermeture de son pantalon.

— Rien au monde ne saurait m'en empêcher !

Sa voix contenait une telle résolution que la jeune femme abandonna toute tentative de résistance.

Mais au moment de recouvrir de son ombre le corps dénudé de sa compagne, Clifford perçut en lui l'écho d'un signal d'alarme. Que lui arrivait-il ? Comment avait-il pu perdre à ce point le contrôle de lui-même ? Dans son désir aveugle, il avait été tout près de détruire à jamais la mince parcelle de confiance que Victoria commençait à lui accorder et qu'il avait eu tant de peine à obtenir.

Le corps parcouru de frissons, il la relâcha et porta la main à son front brûlant. Puis il l'aida à retrouver une position plus confortable et l'enveloppa dans une douce étreinte. On eût dit qu'il tenait un enfant entre ses bras.

— Victoria, articula-t-il d'une voix rauque. Je ne voulais pas. Croyez-moi, je vous en supplie. Jamais je n'ai imaginé de vous forcer à agir contre votre guise. J'ai dû perdre la raison.

Dans le silence que seul troublait le bruit de leurs respirations haletantes, Victoria retrouva un peu ses esprits. Elle tenta d'effacer de sa mémoire la scène odieuse qu'ils venaient de vivre pour ne conserver que le souvenir des moments délicieux passés dans les rues de Vienne. Tremblante, elle se serra contre lui.

Clifford caressait tendrement ses cheveux.

— Là, calmez-vous. Tout est de ma faute. Je me suis conduit comme un animal sauvage. Il n'existe pas de termes pour qualifier mon attitude. Je suis une brute, un lâche, un monstre d'injustice et d'égoïsme...

Avec un petit sourire triste, elle se blottit un peu plus contre lui.

— Non, Clifford, vous n'êtes rien de tout cela.

— Je voudrais en être aussi sûr que vous.

De nouveau, le silence retomba dans la pièce.

— Parlez-moi, Victoria, murmura le jeune homme au bout de quelques minutes. A quoi pensez-vous ? Je vous promets de vous écouter cette fois.

Malgré l'immense fatigue qui engourdissait ses membres, elle fit un effort pour rassembler ses esprits. Si elle refusait le dialogue cette nuit-là, il était probable qu'ils n'auraient plus jamais l'occasion de s'adresser la parole.

Elle s'allongea et posa la tête sur les genoux de son compagnon.

— Lorsqu'on aime on doit tout accepter de l'autre, ses qualités mais aussi ses défauts, déclara-t-elle timidement.

— Je partage entièrement votre avis. Mais pourquoi me dites-vous cela ?

— Eh bien, je... je ne suis pas aussi libérée sexuellement que la plupart des jeunes femmes de mon âge.

Sans très bien comprendre où elle voulait en venir, Clifford eut un hochement de tête.

— La libération sexuelle n'est plus très à la mode de nos jours. Il semble que la tendance générale soit à la sagesse et à la fidélité.

Elle se raidit imperceptiblement.

— Les modes n'ont jamais influencé ma façon de concevoir la vie. Je voulais tout simplement dire que je ne suis pas de ces femmes qui prennent leur plaisir dans des aventures sans lendemain. Mon éducation m'a appris que lorsqu'une femme aime un homme, elle l'épouse et lui consacre le reste de ses jours.

Clifford réfléchit un instant, tout en laissant errer l'extrémité de ses doigts sur le visage de la jeune femme.

— Je n'ai jamais conçu notre relation comme une simple aventure, dit-il avec douceur. Depuis le début, je vous ai laissé clairement entendre que je vous aimais. Et quand bien même vous faisiez mine d'être offensée par mes paroles, je savais que vous ressentiez les mêmes sentiments à mon égard. Au-delà de la simple attirance, il existe entre nous une complicité profonde, durable, qui n'a nul besoin des mots pour s'exprimer. Et c'est ce qui en fait toute la richesse. Le seul obstacle à notre bonheur réside dans l'engagement qui me lie à Faye. Mais vous savez bien que cela aussi s'arrangera avec le temps.

— J'aimerais tant que tout soit d'ores et déjà réglé.

Un sourire plein de tendresse éclaira la physionomie de Clifford.

— L'attente ne pourra que renforcer notre amour, dit-il.

— Je suis d'accord avec vous sur ce point. Mais je pense...

— Oui ? l'encouragea-t-il comme elle paraissait hésiter.

— Eh bien... lorsqu'une femme est amoureuse d'un homme, elle a besoin de savoir qu'elle constitue le principal objet de ses pensées. Elle ne veux pas être placée en concurrence dans son esprit avec une fiancée, une amie ou même... une mère.

Il plissa un instant le front avant de répondre.

— Vous avez raison, Victoria. Dès notre retour, j'informerai mes parents des sentiments qui nous unissent. Si vous préférez, vous viendrez avec moi ce jour-là et nous leur ferons ensemble cet aveu.

Puis, souriant, il lui demanda :

— Etes-vous satisfaite maintenant ?

Elle abaissa les paupières sans souffler mot. Devant son mutisme, Clifford ouvrit de grands yeux étonnés.

— Sincèrement, Victoria, je pense avoir fait tout ce qui était en mon pouvoir pour vous donner satisfaction. Outre la promesse de rompre mes fiançailles avec Faye, je n'ai pas hésité à utiliser l'argent que je destinais à l'achat de notre maison pour éviter la mise en vente de Brayntree.

Elle voulut émettre une objection, mais il ne lui en laissa pas le temps.

— Ne revenons pas sur ce sujet aujourd'hui. Nous aurons tout le loisir d'en reparler dans des circonstances plus appropriées. Mais vous devez comprendre que je me suis engagé envers vous de toutes les façons possibles. Je vous aime follement, aveuglément. Et pour être sincère, vous êtes la seule femme que j'aie jamais aimée.

Tout en parlant, il ne pouvait s'empêcher d'admirer la grâce de sa silhouette. A ses yeux, elle ne pouvait qu'être l'œuvre d'un dieu, réduite par un bienheureux caprice du destin à la condition de simple mortelle. La notion de perfection semblait prendre vie sur ce visage qu'une émotion, une larme, un sourire suffisaient à rendre bouleversant de beauté.

Mais elle était si absorbée par les révélations qu'il venait de lui faire qu'elle ne se rendit pas compte de l'examen attentif dont elle était l'objet. Plusieurs fois, ses lèvres s'animèrent pour lui répondre mais une sorte d'étrange pudeur empêchait les sons de jaillir de sa gorge. Elle aspira une longue bouffée d'air et la rejeta, sans parvenir à prononcer un mot.

— Allons, Victoria, dites-moi ce qui vous préoccupe encore ! s'exclama Clifford avec une légère pointe d'humeur. Votre silence met mes nerfs à rude épreuve. Je ne sais vraiment plus que

faire pour vous prouver l'honorabilité de mes
intentions.

« Une gamine n'agirait pas avec plus de maladresse, songeait amèrement la jeune femme.
Mais au diable mon orgueil. Il faut que je lui
parle, allons, un peu de courage ! »

— Vous ne m'avez pas demandé de devenir
votre femme, bredouilla-t-elle d'une voix à peine
audible.

Un éclair de joie traversa le regard de Clifford.
Avait-il bien entendu ? Victoria désirait réellement l'épouser ?

Il prit son visage entre ses mains et l'obligea à
s'asseoir pour mieux la contempler.

— Dites-le encore, implora-t-il, le cœur battant.

— C'est que... je me sens un peu stupide de
vous faire ce reproche.

— Cela n'a pas d'importance. Je veux l'entendre une autre fois.

La réaction de Clifford la prenait au dépourvu.
Jamais elle n'aurait imaginé aborder ainsi la
question de son propre mariage.

— Vous ne m'avez pas demandé de devenir
votre femme, répéta-t-elle en détachant soigneusement ses mots.

Clifford rejeta la tête en arrière et un rire
profond jaillit de sa poitrine.

— C'est donc cela qui vous préoccupait ?
s'écria-t-il. Vous êtes sérieuse, Victoria ?

Elle sentit son visage s'empourprer.

— Si je suis sérieuse ? Je dois sans doute vous

paraître vieux jeu, mais dans mon esprit ces choses-là doivent être énoncées clairement, et par l'homme, de préférence. Maintenant, laissez-moi, je veux retourner dans ma chambre.

— Vous n'irez nulle part, petite fille ! décréta-t-il avec autorité. Mais à quoi pensiez-vous donc ? N'est-il pas évident depuis le début que je rêve de faire de vous mon épouse ?

Elle eut une moue de scepticisme.

— Comment aurais-je pu m'en douter ? Vous refusiez de parler de moi à Faye et à vos parents et vous ne sembliez même pas envisager de rompre vos fiançailles.

Il leva la main en signe de protestation.

— Pas un instant je n'ai envisagé de poursuivre d'une manière ou d'une autre mes relations avec Faye. Et je puis vous jurer que je n'ai pas une seule fois posé la main sur elle depuis notre première rencontre.

Un sourire radieux illumina le visage de la jeune femme. De nouveau, Clifford éclata de rire.

— Sincèrement, je ne pensais pas que vous puissiez être aussi jalouse ! Vous ne cessez de me surprendre, Victoria.

Elle le dévisagea en silence quelques instants puis fronça les sourcils d'un air soucieux.

— Décidément, je vais finir par penser que vous le faites exprès. Je ne devrais jamais croire un mot de ce que vous dites.

Il lui jeta un regard interrogateur.

— Quoi ? Qu'y a-t-il encore ?

— Je n'ai toujours pas entendu votre demande en mariage.

Amusé, Clifford songea qu'il n'avait jamais aimé aussi intensément de toute son existence. Il aurait voulu l'embrasser, la serrer très fort contre lui jusqu'à ce que leurs deux corps se fondent et n'en forment plus qu'un. Mais instruit par la désastreuse expérience de la scène qui avait précédé, il s'efforça de maîtriser son désir.

— Victoria Carroll, déclama-t-il avec emphase. Acceptez-vous de devenir mon épouse ?

Les épaules de la jeune femme s'affaissèrent.

— Votre requête manque singulièrement de spontanéité, soupira-t-elle. Je ne sais si je dois y répondre.

Il fit mine de l'étrangler.

— Si dans cinq secondes je n'ai pas entendu votre adorable bouche prononcer un oui clair et distinct, je vais me jeter tête la première dans le Danube.

Comme elle restait muette, il se leva et se mit à arpenter la pièce. Victoria le regardait marcher de long en large d'un air émerveillé. En l'espace de quelques secondes, les ténèbres qui enrobaient son existence s'étaient dissipées, laissant apparaître à l'horizon de ses pensées un avenir radieux. Tous ses rêves d'adolescente se trouvaient comblés. Désormais, elle avait la certitude qu'il vivrait toujours à ses côtés et qu'ils formeraient un foyer uni, entourés des enfants qui naîtraient de leur amour.

Le cœur joyeux, elle rejoignit son compagnon

au centre de la pièce et déposa un tendre baiser sur son front.

— Si vous voulez bien de moi, j'accepte, souffla-t-elle d'une voix enrouée.

Clifford ouvrit les bras et la serra très fort contre lui. A travers sa chemise, elle entendait les battements précipités de son cœur.

— Si je veux bien de vous ? répéta-t-il après un temps. Ce serait plutôt à moi de vous poser cette question. Etes-vous bien sûre de ne pas commettre la plus grosse erreur de votre vie ? Je ne me suis pas toujours bien conduit, Victoria. Et particulièrement avec vous...

— Chut ! fit-elle en posant un doigt sur ses lèvres. J'arriverai bien à faire de vous un mari convenable.

Du bout de l'index, elle dessina le contour de sa bouche. Puis elle se hissa sur la pointe des pieds et l'embrassa. Une vague de désir submergea le corps de Clifford. Mais il s'efforça de n'en rien laisser paraître.

— Victoria...

— Chut ! répéta-t-elle. Il ne faut plus parler à présent.

Puis, en reculant, elle l'entraîna jusqu'au lit. Ils partageaient le même désir, la même envie de se fondre l'un à l'autre. Il ne s'agissait plus d'un simple caprice, mais d'une éclatante preuve d'amour.

Clifford fut surpris de l'ardeur de sa compagne. Echappant à ses baisers, les lèvres de la jeune femme se mirent à explorer chaque parcelle de son corps.

— Je vous aime, Clifford, murmura-t-elle d'une voix éperdue.

Incapable de lui répondre, il continuait à s'émerveiller du désir fou qu'il voyait naître en elle. Puis la réalité cessa d'exister et seule persista dans leur esprit la pensée de l'amour infini qu'ils se portaient.

Chapitre 11

— Vous êtes ravissante ce matin, Miss Victoria ! s'écria Mamie Gardner avec chaleur.

Depuis son retour à Brayntree, la jeune femme avait repris son inspection quotidienne du château. On se trouvait maintenant à moins d'une semaine de Noël.

— Ces vacances vous ont fait du bien. Votre sourire fait plaisir à voir.

Victoria leva les yeux de la liste de commissions qu'elle était en train d'établir.

— Je vous remercie, Mamie. Il est vrai que ce voyage en Europe m'a beaucoup détendue.

— Vous avez bien fait de lui parler de vive voix. Il faut toujours aller droit au but avec ce genre de personnage.

La vieille domestique ne prononçait jamais le nom de John Carroll. Son bref séjour à Brayntree ne lui avait laissé que des mauvais souvenirs.

Victoria abaissa les paupières. Mamie ignorait qu'elle ne devait son salut qu'à l'intervention de Clifford.

— Il a obtenu ce qu'il voulait, dit-elle. Il est probable que nous n'entendrons plus jamais parler de lui.

Mamie noua un tablier autour de sa taille.

— Cet homme n'a jamais eu d'autres préoccupations que l'argent ! marmonna-t-elle avec mépris.

Puis, se mordant vivement la lèvre inférieure :

— Oh, pardon, Miss ! J'oublie toujours qu'il s'agit de votre père.

Victoria glissa son stylo au fond de sa poche et lui répondit :

— Ne vous inquiétez pas, Mamie. J'ai tendance moi aussi à l'oublier. Mais nous ne devons pas crier victoire trop tôt. Si cette affaire d'héritage est réglée, nos difficultés financières ne sont pas résolues pour autant. Il va nous falloir plus que jamais surveiller nos dépenses. Le réveillon approche et il risque bien d'entamer nos dernières économies.

La cuisinière lui tapota affectueusement l'épaule.

— Ne vous tracassez pas, Miss Victoria. Vous avez dû emprunter beaucoup d'argent pour satisfaire les exigences de votre père. Mais nous l'aurons vite remboursé. J'ai à l'esprit quelques recettes qui devraient rendre les repas encore moins coûteux.

Victoria quitta la cuisine sous le premier prétexte venu. Pour justifier le sauvetage in extremis de Brayntree, elle avait dû mentir au personnel. A l'exception de Stéphanie, tous étaient persuadés qu'elle avait obtenu un prêt bancaire. Elle n'était pas encore habituée à l'idée de partager la propriété du domaine avec Clifford.

A leur retour d'Autriche, ils avaient dû repousser le moment d'informer les parents du notaire de leurs projets : Ethan Pennington avait emmené sa femme prendre un peu de repos sous le soleil des Bahamas. Ils ne seraient de retour à Williamsburg qu'à la veille de Noël.

— Nous irons les voir dès leur arrivée, lui avait promis Clifford au téléphone.

— Je suis presque soulagée, avait-elle confessé. Cette nouvelle va leur causer le choc de leur vie. Pour être franche, je redoute énormément de me trouver en face d'eux à cet instant.

— Le seul désir de mes parents est de me voir heureux, Victoria. Maman va beaucoup mieux depuis votre première rencontre. Et puis, notre mariage ne m'empêchera pas de rester ami avec Faye.

— Je l'espère, répondit-elle en toute sincérité.

Cependant, Clifford ne semblait toujours pas décidé à informer la jeune femme de ses intentions. Au fil des jours, Victoria sentait le doute s'insinuer dans son esprit. Pourtant, elle se refusait à lui faire part de ses inquiétudes. Il aurait sans doute très mal réagi à cette nouvelle marque de défiance.

La présence de Clifford à ses côtés aurait certainement suffi à apaiser toutes ses craintes. Mais l'absence de son père lui avait laissé toute la responsabilité de l'étude et ils n'avaient pu se voir une seule fois depuis leur retour d'Europe.

Un jour, Victoria parvint à se libérer tout un après-midi pour lui faire la surprise d'une visite inopinée. Après le déjeuner, elle regagna en hâte son bureau et composa le numéro de téléphone des Pennington.

— Bonjour, Devon ! s'exclama-t-elle joyeusement. Pourrais-je parler à Clifford je vous prie. Je viens d'appeler le cabinet et sa secrétaire m'a répondu qu'il était rentré chez lui.

— Je crains qu'elle ne vous ait mal informée, fit la voix rieuse de Devon. Clifford s'est absenté pour la journée. Vous allez devoir vous contenter de ma conversation.

Les traits de la jeune femme s'assombrirent.

— Oh ! Et il ne vous a pas dit où il allait ?

Devon marqua une légère hésitation.

— Attendez, laissez-moi réfléchir... euh... je crois qu'il avait rendez-vous avec Faye. Pourquoi ? Vous aviez un message urgent à lui transmettre ?

La gorge de Victoria se noua. Elle eut le sentiment d'avoir été prise au piège d'un affreux tissu de mensonges. Mais aussitôt, une petite voix intérieure l'incita à plus de modération dans ses jugements. Clifford l'aimait et elle devait lui faire confiance. Cependant, elle ne pouvait s'empêcher de se demander pourquoi il ne lui avait pas fait part de cette entrevue avec Faye.

A l'autre bout du fil, Devon toussota. Elle se

hâta d'improviser un mensonge pour justifier son appel.

— Je... non, à vrai dire, il n'y a rien d'urgent. Clifford s'est offert de m'aider à résoudre mes difficultés financières et je souhaitais discuter avec lui des dépenses que risque d'entraîner le réveillon du nouvel an. Je crains qu'il ne s'agisse d'un véritable luxe dans l'état actuel de nos finances.

Son interlocuteur demeura si longtemps silencieux qu'elle crut qu'il n'accordait pas le moindre crédit à ses paroles.

— Un réveillon ? interrogea-t-il enfin.

Victoria se força à émettre un petit rire joyeux.

— Oui, comme tous les ans nous organisons une réception à l'occasion des fêtes de fin d'année. Les parents y sont conviés ainsi que leurs amis. Mes pensionnaires rêvent depuis des semaines à cette soirée.

— Je les comprends.

— Eh bien... euh... je vais vous quitter maintenant. Excusez-moi de vous avoir dérangé.

Elle s'apprêtait à raccrocher quand la voix de Devon résonna de nouveau dans l'écouteur.

— Attendez ! s'écria-t-il.

Les sourcils froncés, elle replaça le combiné contre son oreille.

— Je n'ai pas mon pareil pour organiser ce genre de festivités, reprit Devon. Je pourrais vous être très utile. Acceptez-vous mon aide ?

Essayant de surmonter la déception que lui

avait causé l'absence de Clifford, la jeune femme accueillit cette proposition avec chaleur.

— Devon, vous êtes formidable. J'accepte bien volontiers. Où pouvons-nous nous rencontrer ?

— Passez me prendre un peu avant l'heure du dîner. Je ne suis encore jamais monté dans une jeep.

En fin d'après-midi, Victoria monta dans sa chambre et choisit avec soin sa toilette : un pantalon de velours noir et un corsage profondément décolleté qu'elle réservait pour une sortie avec Clifford. Le jeune homme agissait comme s'il était libre de toute obligation envers elle, pourquoi n'en ferait-elle pas de même ? Devon était un garçon charmant et elle avait bien l'intention de profiter de cette soirée.

Son attente ne fut pas déçue. D'emblée, le jeune homme se déclara comblé d'aller dîner en si charmante compagnie. Il prit un réel plaisir à conduire la jeep, la régalant tout au long du trajet d'une foule d'anecdotes sur son enfance et celle de son frère.

Victoria riait de bon cœur, sans essayer de repousser ses avances ou de dresser entre eux l'ombre de Clifford.

Au cours du dîner, la conversation dériva sur des sujets plus sérieux. Ils évoquèrent la carrière de Devon, la mort de sa sœur aînée et en vinrent tout naturellement à parler des fiançailles de Faye et de Clifford.

— Vous êtes très attachée à mon frère, n'est-ce pas ?

Devon posait ses questions de façon si directe qu'il était difficile de ne pas satisfaire sa curiosité. Elle s'efforça néanmoins d'éluder un sujet qu'elle n'était pas certaine d'aborder avec tout le détachement voulu.

— Une femme ne devrait jamais s'attacher à un homme, Devon. La plupart du temps, elle ne peut y gagner que des ennuis.

Le jeune homme comprit qu'elle préférait ne pas s'attarder sur la question.

Il lui prit la main avec gentillesse.

— Victoria, si un jour vous avez besoin d'un ami, vous pourrez compter sur moi. Je répondrai toujours présent à votre appel.

Elle sentit sa vue se brouiller. Devon avait le don de lire au fond de son cœur.

— Devon, je vous en prie, je...

— C'est que je suis un peu amoureux de vous, moi aussi.

Elle lui adressa un petit sourire misérable.

— La vie n'est vraiment pas simple. Ou peut-être est-ce moi qui suis trop compliquée. J'ai sans doute trop d'exigences contradictoires à satisfaire. Je voudrais rentrer maintenant. Cela ne vous ennuie pas ?

— Non, pas du tout. Mais n'oubliez pas ce que je viens de vous dire. Il est important de pouvoir compter sur un véritable ami. Pour ce qui est de votre fête, je me charge de vous procurer tout le matériel nécessaire.

La jeune femme enfila le manteau que son compagnon lui tendait et adressa un signe de tête poli au serveur. Elle s'apprêtait à franchir le seuil du restaurant, quand une silhouette imposante se dressa devant elle. Elle n'eut pas le temps de voir la profonde stupeur qui s'inscrivit sur les traits de Clifford : son regard était tout entier absorbé par la main qu'il tenait posée dans un geste possessif sur la taille de Faye Chambers. Contenant avec peine la nausée qui montait subitement en elle, elle recula d'un pas et retrouva le bras rassurant de Devon.

— Bonsoir, Cliff, fit ce dernier avec le plus grand naturel. Faye, vous êtes plus éblouissante que jamais !

Une expression impénétrable sur le visage, Clifford laissa errer son regard sur la silhouette de Victoria et examina avec insistance la profondeur de son décolleté.

Bloquant la sortie, il inclina la tête avec raideur.

— Bonsoir, Devon. Bonsoir, Victoria.

La jeune femme était déterminée à ne pas se conduire comme une enfant. Rassemblant tout son courage, elle tendit la main à sa rivale.

— Je suis très heureuse de vous revoir, dit-elle en frémissant intérieurement de cet horrible mensonge.

Les deux femmes échangèrent quelques banalités qui parurent accroître, s'il en était encore besoin, la colère de Clifford.

Redoutant un éclat de son frère, Devon improvisa une plaisanterie qui parvint à détendre quelque peu l'atmosphère. Grâce à son intervention, les deux couples se séparèrent sans heurt. La mort dans l'âme, Victoria vit la porte du restaurant se refermer sur les deux jeunes gens.

Elle reçut comme une véritable agression les relents d'essence qui émanaient des véhicules garés le long du trottoir. Prise d'une effroyable nausée, elle porta la main à sa bouche et aspira une longue bouffée d'air.

Inquiet, Devon glissa un bras sur ses épaules.

— Eh bien, Victoria, qu'avez-vous ?

— Je crois que... je crois que je ne me sens pas très bien, bredouilla-t-elle.

— Venez !

Il lui prit la main et l'entraîna vers un recoin que la lumière des lampadaires n'atteignait pas. Après un dernier regard de détresse, Victoria se laissa aller contre lui, essayant de toutes ses forces de surmonter son malaise.

De l'intérieur du restaurant, leur parvenaient des éclats de rire joyeux. Au comble de l'embarras, elle parvint enfin à se ressaisir. Grâce au soutien du jeune homme, elle regagna la jeep. Il l'aida à se hisser sur son siège et s'installa auprès d'elle.

— Victoria, fit-il en posant un doigt sous son menton. Vous n'êtes pas enceinte, n'est-ce pas ?

Sa voix était empreinte d'une immense douceur.

— Non, répondit-elle catégoriquement.

Mais peu à peu, le souvenir des heures passées dans les bras de Clifford à Brayntree puis à Vienne lui revint en mémoire. Elle se recroque-

villa sur son siège à la manière d'une petite fille
fautive.

— Enfin, je ne sais pas, corrigea-t-elle d'une
voix blanche.

Tant bien que mal, elle tenta de se dominer,
cherchant de nouveau le réconfort dans le regard
de Devon.

— Je me conduis comme une gamine, n'est-ce
pas ?

Elle ne fit rien pour l'empêcher de se glisser à
ses côtés. Avec une infinie tendresse, il la serra
entre ses bras.

— Ma pauvre enfant, dit-il simplement. Ma
pauvre enfant.

Cette nuit-là, Victoria installa son téléphone le
plus près possible de son lit. Une fois sa colère
passée, Clifford ne manquerait pas de l'appeler.
Sans doute éprouverait-il le besoin de lui donner
et de lui demander des explications. De son côté,
elle avait une incroyable nouvelle à lui apprendre. Certes, il lui faudrait attendre le diagnostic
d'un médecin pour acquérir une certitude abso-
lue. Mais elle était déjà persuadée de porter dans
son ventre l'enfant de Clifford.

Qu'aurait pensé Helen Carroll de la situation si
elle avait été encore de ce monde ? Pour elle, une
femme ne devait jamais s'éloigner d'une ligne de
conduite honnête et respectable. Par-dessus tout,
elle devait toujours mesurer les conséquences de
ses actes.

Des heures durant, elle garda les yeux rivés sur

le plafond, guettant désespérément la sonnerie du téléphone.

Clifford s'était-il mépris sur le sens de sa relation avec Devon? Il avait paru troublé par son décolleté autant que par la complicité qui régnait entre eux. S'imaginait-il qu'elle entendait tirer vengeance de son attitude en cherchant à s'attirer les faveurs de Devon?

Et s'il attendait lui aussi son coup de téléphone? Se hissant sur un coude, elle composa le numéro des Pennington. Puis elle reposa vivement l'appareil. Non, ce n'était pas à elle de faire le premier pas. Si Clifford voulait des explications, il n'avait qu'à l'appeler.

— Miss Carroll!

Doris Everman s'était à moitié levée de sa chaise. De sa place, elle avait vue sur toute l'étendue du parc.

— Miss Carroll, nous sommes envahis!

Cette déclaration fracassante amena la totalité des élèves à se presser contre les fenêtres. Durant toute la matinée, elles avaient choisi avec soin leur maquillage et confectionné des chapeaux en tissu. Ainsi pressées les unes aux autres, elles ressemblaient à un parterre de fleurs multicolores.

— Il y a une inscription sur le camion, reprit Doris avec excitation. Sennica, toi qui a de bons yeux, peux-tu lire ce qui est écrit?

Se hissant sur la pointe des pieds, Sennica plissa le regard en direction du cortège de véhicules qui remontait l'allée de l'école.

A son tour, Victoria s'approcha des fenêtres. Depuis quelques jours, elle s'appliquait à marcher avec précaution et à éviter les mouvements trop violents. Ses nausées devenaient de plus en plus fréquentes.

— Je ne vois rien, déclara Sennica. Le camion est encore trop loin.

Mais quelques secondes plus tard, elle parvint à déchiffrer les lettres rouges gravées sur la carrosserie.

— Costumes et cotillons... Entreprise Harry Remmer... Mais que viennent-ils faire ici ?

— Ils se sont sans doute trompés d'adresse.

— Si c'était le cas, Jack ne leur aurait pas laissé franchir le portail, remarqua judicieusement Doris. Est-ce qu'ils viennent pour le bal, Miss Carroll ?

Une semaine auparavant, Devon lui avait appris que Clifford avait résolu de s'occuper lui-même de l'organisation de la fête.

Clifford Pennington : le père de son enfant, l'homme auquel elle essayait en vain depuis des jours d'annoncer la nouvelle de sa paternité. Depuis le soir où ils s'étaient croisés à la sortie du restaurant, leurs rapports s'étaient dégradés. Au téléphone, ils se bornaient à de simples échanges de politesse dans un climat qui rendait impossible l'aveu de sa grossesse.

A chacune de leurs communications, elle retenait avec peine les questions qui lui brûlaient les lèvres. Que faisait-il avec Faye Chambers ce soir-là ? Pourquoi évitait-il la moindre allusion à leur mariage ? Avait-il l'intention de rompre progressivement avec elle ?

Mais Clifford ne lui fournissait aucune explication et elle feignait de se satisfaire de son silence.

— Tout est arrangé pour le bal, Doris, répondit-elle avec une sécheresse inhabituelle. Je vais descendre recevoir nos visiteurs. Stéphanie montera me remplacer dans quelques instants. En attendant, retournez à vos tables de travail.

— Regardez ! s'exclama Dina. Oh, mais c'est M. Pennington. Betty, dépêche-toi d'enlever les rouleaux qui sont dans mes cheveux.

— Enlève-les toi-même. Je n'ai qu'un œil de maquillé. Personne ne doit me voir dans cet état !

A l'évocation du jeune homme, les lèvres de Victoria se crispèrent. Il était venu ! Le jour était peut-être arrivé où elle parviendrait à lui parler de l'enfant qu'elle portait en elle.

— Stéphanie sera là dans un instant, répéta-t-elle. Allons vite, je veux vous voir toute au travail.

— Eh bien ! s'exclama Doris lorsque la porte se fut refermée sur la jeune femme. Que lui arrive-t-il ? Je la trouve étrange depuis quelques jours.

Sennica eut un haussement d'épaules.

— Je me demande pourquoi elle n'épouse pas cet adorable Pennington. Imaginez un peu qu'ils finissent par se marier ! Nous le verrions tous les jours. Vous vous rendez compte ? Dans la salle à

manger, aux écuries, au gymnase. Il ne doit pas
être mal en tenue de sport !

— On dirait que tu n'as que cela en tête !
soupira Roberta. Les hommes ! Il n'y a donc rien
d'autre qui t'intéresse ?

— Si, les romans d'amour et les histoires de
princes charmants. A mon sens, tout le reste ne
vaut pas la peine qu'on s'en occupe.

Victoria essayait de conserver son calme tout
en descendant au rez-de-chaussée. Mais ses pieds
semblaient courir malgré elle sur les marches de
l'escalier et dans le long corridor.

Lorsqu'elle apparut sur le perron, Clifford descendait de voiture. Il portait un jean délavé, des
bottes en daim et une veste fourrée.

Victoria s'approcha de lui d'un pas déterminé.

— Mais quelle est cette invasion ? questionna-
t-elle d'un ton plus acerbe qu'elle ne le souhaitait.

Sans lui répondre, il jeta un coup d'œil au
camion qui reculait en direction du garage.

— Encore un peu, John. Doucement. Encore...
Stop ! Ne bouge plus maintenant.

Le chauffeur ouvrit sa portière et deux jeunes
garçons sautèrent joyeusement à terre. Sur un
ordre de Clifford, ils se mirent à décharger le
contenu du véhicule.

— Hé, attendez un peu ! s'écria Victoria.

Mais, d'un signe, Clifford indiqua à ses compagnons de continuer leur besogne.

Outrée, la jeune femme serra les poings le long
de son corps.

— Pourriez-vous au moins m'expliquer le sens de cette intrusion ?

— Je protège les intérêts de Brayntree, répondit Clifford d'une voix nonchalante. Plus cette fête aura de retentissement et plus vous aurez de chances d'attirer de nouvelles pensionnaires pour l'an prochain.

Il lui prit l'avant-bras et l'entraîna un peu à l'écart. Victoria se libéra d'un geste vif.

— Vous êtes ici chez moi et je refuse de me laisser envahir sans...

Un sourire narquois étira les lèvres de son interlocuteur.

— Je suis aussi chez moi, corrigea-t-il. La moitié du domaine m'appartient, l'auriez-vous déjà oublié ?

Un frisson glacial parcourut le corps de la jeune femme.

— Vous avez froid ? s'enquit son compagnon avec une douceur inattendue.

Sans attendre sa réponse, il ôta sa veste et la posa sur ses épaules tremblantes. Puis il l'entraîna en direction des écuries. Elle était persuadée que tous les yeux de ses élèves étaient fixés sur eux et imaginait Sennica en train de s'exclamer : « Regardez, il lui tient la main ! Oh, comme ils sont beaux tous les deux ! »

Il repoussa le battant de bois derrière lui et la prit dans ses bras.

— Voulez-vous de moi aujourd'hui ? chuchota-t-il à son oreille. C'est un refuge idéal pour des amoureux.

Sans leur rencontre inattendue à la sortie du restaurant, Victoria aurait sauté à son cou sans l'ombre d'une hésitation. Au lieu de cela, elle se raidit et lui adressa un regard qui aurait suffi à décourager le prétendant le plus audacieux.

— Pourquoi venir chercher si loin ce que vous pouvez trouver chez vous ? Si vous avez des besoins physiques à satisfaire, demandez donc à Faye Chambers de vous prêter son gracieux concours !

Il resserra fermement ses deux mains autour de sa taille.

— Ecoutez, Victoria, j'en ai plus qu'assez de vos insinuations. J'espérais sincèrement recevoir un accueil plus chaleureux de votre part.

Elle secoua la tête pour chasser les mèches qui recouvraient son front. Elle venait de l'accuser ouvertement de la tromper avec Faye et il ne prenait même pas la peine de nier ses paroles. Elle en était désormais certaine : les deux jeunes gens n'avaient pas renoncé à leurs projets de mariage.

— Si vous n'êtes pas satisfait, vous n'avez qu'à remballer vos jouets et disparaître de ma vue ! Allez faire la cour à qui vous plaira, je...

— Taisez-vous ! ordonna-t-il d'un ton sans réplique. Je ne sais pas ce que vous êtes allée imaginer au sujet de Faye, mais je vous assure que tout cela est faux. Et puisque nous y sommes, je tiens à ce que vous sachiez ce que je pense du petit manège que je vous ai vue jouer avec mon frère. Pensez-vous réellement que...

— Devon n'a rien à voir dans cette histoire.

— Et il faudrait que je vous croie ?

— Laissez-moi finir !

Le cri de Victoria interrompit les compagnons de Clifford dans leur travail. Ils levèrent le regard en direction des écuries. S'emparant du bras de la jeune femme, Clifford l'entraîna un peu plus loin. Lorsqu'elle reconnut l'endroit où elle s'était assise aux côtés de Stéphanie pour lui confier les tourments de son cœur, elle sentit quelque chose se briser au fond de sa poitrine. Moins de deux semaines auparavant, elle avait exprimé en présence de son amie la certitude qu'il lui faudrait rapidement mettre un terme à sa relation avec Clifford. Elle ne pensait pas que l'avenir lui donnerait aussi vite raison.

— Non, je ne vous laisserai pas finir ! s'écria Clifford en l'obligeant à s'appuyer dos au mur.

Toute sa frustration des derniers jours parut rejaillir subitement de lui. Lorsqu'il saisit sa bouche pour l'embrasser, elle n'eut pas le temps de prévenir son geste.

Rassemblant toutes ses forces, elle le repoussa brutalement.

— Laissez-moi ! Faye saura très bien conclure ce que vous avez commencé avec moi !

Il prit une profonde inspiration pour contenir la colère qui grondait en lui.

— Quand cesserez-vous de poser Faye comme un obstacle entre nous deux ? Et quand renoncerez-vous à vos tentatives de séduction sur

Devon ? Il me déplairait beaucoup d'avoir à étrangler mon propre frère.

— Comment osez-vous concevoir de tels soupçons ? Je vous ai déjà dit que Devon ne...

— Et si je vous dis moi que j'ai parlé à Faye, serez-vous enfin satisfaite ?

Dans sa douleur, Victoria refusa de croire à la sincérité de ses paroles. Non, si Clifford avait fait part à la jeune femme de leurs projets il n'aurait pas attendu aussi longtemps pour l'en informer.

— Je suppose qu'elle a terriblement souffert de vos aveux, ironisa-t-elle avec amertume.

— Elle a souffert, en effet. Mais elle parviendra à surmonter sa déception. Nous ne nous sommes jamais réellement aimés.

Sans l'entendre, la jeune femme pivota sur ses talons et s'éloigna lentement en direction de la sortie.

— Victoria !

Mais elle ne répondit pas. Otant la veste de Clifford, elle la déposa sur le battant de la porte comme pour lui signifier que tout était bel et bien fini entre eux. Les épaules basses, le teint livide, elle avançait de la démarche lourde d'une femme qui a trop longtemps vécu et que n'effraie même plus la pensée d'une mort prochaine.

Clifford n'essaya pas de la suivre. Il la regarda s'éloigner du bâtiment en maudissant en silence son impuissance et sa maladresse. Une douleur insoutenable le déchirait. Parviendrait-il un jour à recueillir les fruits de l'amour infini qu'il portait à la jeune femme ?

Chapitre 12

Vêtue de sa longue robe de soirée, Stéphanie remonta les genoux à la hauteur de son menton et enroula les bras autour de ses jambes.

— Vous êtes trop exigeante, Victoria, observa-t-elle avec douceur.

La jeune femme était assise sur la moquette, face à la cheminée de sa chambre. Ses doigts tremblants tenaient une tasse de thé que, de temps à autre, elle portait distraitement à ses lèvres.

A l'étage, les pensionnaires faisaient régner un joyeux tumulte, se complimentant mutuellement sur le charme de leurs toilettes. Leurs parents commençaient à se présenter à l'entrée du château. Dans la cuisine, Mamie Gardner mettait une touche finale à ses préparatifs culinaires tandis que Jack et Bud achevaient de régler les éclairages de la piste de danse.

Chaque année, la vaste salle à manger se transformait en une gigantesque salle de bal. Toute la nuit, la fête battait son plein dans une atmosphère pleine de chaleur et de gaieté. « Je serai sans doute la seule à ne pas m'amuser », songeait tristement Victoria. Pourtant, elle se promettait de faire bonne figure. Ses préoccupations personnelles ne devaient pas ternir la joie et l'éclat de cette soirée.

— En outre, poursuivit Stéphanie en écrasant sa cigarette dans un cendrier, vous n'avez pas d'autre choix que d'épouser Clifford. C'est le seul moyen de préserver votre réputation. Les parents de ces jeunes filles ne toléreraient pas que leurs enfants soient éduquées par une mère célibataire. L'estime qu'ils vous portent ne leur fera pas renoncer à leurs principes moraux. Leur code de bonne conduite interdit à une femme d'avoir des bébés en dehors des liens sacrés du mariage.

Victoria eut un sourire sans joie. Une boule d'angoisse obstruait sa gorge. Elle redoutait plus que tout au monde cette soirée.

— Ce mariage aura sans doute lieu, Stéphanie, soupira-t-elle. Nous en avons convenu dès le début de notre relation. Clifford sera un bon père pour nos enfants et je m'efforcerai d'accomplir au mieux mes devoirs d'épouse. Mais ce que je regrette...

Elle reposa sa tasse vide dans le plateau.

— Pendant quelque temps, je me suis imaginée que nous vivions une aventure hors du commun. J'ai cru au coup de foudre, à la rencontre miraculeuse de deux êtres que le destin avait façonnés l'un pour l'autre. J'en étais si persuadée...

Stéphanie balançait la tête à droite. La détresse de son amie était un spectacle insoutenable.

— Clifford est le père de votre enfant, Victoria. Vous lui devez la vérité. Cela ne doit pas attendre un jour de plus.

— Il vient ce soir, glissa la jeune femme d'une voix blanche. Il souhaite faire visiter l'école à ses parents. Vous ne trouvez pas cela comique ?

Un léger sourire éclaira les traits de son interlocutrice.

— Ce n'est sans doute pas l'école qui les intéresse le plus, observa-t-elle.

Mais Victoria ne semblait pas entendre ses paroles.

— Si au moins nous avions attendu d'être mariés pour... pour avoir des rapports... Seigneur, que cette expression est laide... avoir des rapports...

— Soyez un peu plus indulgente envers vous-même, Victoria.

Les épaules de la jeune femme s'affaissèrent.

— Il paraît que nous vivons une époque libérée. C'est absolument faux. Personne n'est libre d'agir à sa guise dans cette société.

— Rien ne vous retient d'épouser cet homme, rétorqua Stéphanie. Suivez votre destin et remerciez le ciel de ne pas vous avoir placée dans l'obligation d'unir votre vie à un homme que vous n'aimez pas et qui n'éprouverait que mépris envers vous.

Victoria ne pouvait s'empêcher de penser qu'en

dépit de toute sa bonne volonté Stéphanie ne comprenait rien à ses tourments. Elle se leva et ajusta soigneusement les plis de sa robe.

— Allons, cessons ces bavardages inutiles. Il est grand temps de retourner à nos obligations professionnelles et de faire notre entrée dans la fosse aux lions.

Avec un petit rire, Stéphanie avança jusqu'à son amie et la serra entre ses bras.

— Tout se passera bien, assura-t-elle. Vous êtes la jeune femme la plus solide que je connaisse. Si votre mariage n'est pas parfait au début, il le deviendra au fil des ans. J'en suis certaine, Victoria.

Victoria l'étreignit à son tour.

— Vous êtes vraiment très bonne avec moi. Je ne sais comment vous rendre tout le réconfort que vous m'apportez.

— Vous l'avez fait mille fois, sans même vous en rendre compte.

Un peu gênée de cette démonstration d'amitié, Stéphanie se détacha lentement des bras de son amie. Elle marcha jusqu'à la porte et se pencha dans un profond salut.

— C'est injuste, mais la priorité a toujours été donnée aux femmes enceintes sur les femmes sensées, dit-elle en l'invitant à la précéder dans ce hall.

— C'est la jalousie qui vous fait tenir ce langage, rétorqua gaiement Victoria en s'armant de courage pour essayer de faire passer un peu de bonne humeur sur son visage.

Une alléchante odeur de pâtisserie envahissait tout le rez-de-chaussée du château. Ce parfum, Victoria l'associait toujours au souvenir d'Helen Carroll. Dans la grande salle, un air de samba se mêlait aux échos de la fête. Une excitation inhabituelle emplissait l'atmosphère.

Victoria n'avait aucun inquiétude sur le bon déroulement de la soirée. Le personnel du château connaissait son rôle par cœur et les parents d'élèves se chargeaient tout naturellement du rôle de chaperons, ôtant cette responsabilité de ses épaules. Ainsi, la seule obligation de la jeune femme consistait-elle à circuler parmi ses hôtes en s'efforçant d'apparaître sous son meilleur jour.

— Miss Carroll ! souffla Doris à son oreille avec des airs de conspiratrice. Je meurs d'envie de danser avec M. Pennington. Pensez-vous qu'il m'invitera ?

Victoria eut un léger sursaut.

— Je n'ai aucun don de voyance, Doris. Attendez et vous verrez bien.

La jeune fille adressa une moue séductrice à l'un de ses soupirants. Avant d'aller le rejoindre, elle chuchota encore :

— Demandez-lui ce qu'il en pense. S'il est d'accord, je l'inviterai moi-même.

Elle esquissa un pâle sourire.

— Comme vous voudrez, Doris.

Puis elle prit un verre sur une longue table recouverte d'une somptueuse nappe blanche.

— Que voulait encore ce phénomène ? s'enquit Stéphanie en surgissant à ses côtés.

Victoria eut un petit rire nerveux.

— Je vous le donne en mille. Elle souhaite tout simplement que je lui arrange une danse avec Clifford. Ces jeunes filles n'ont vraiment peur de rien !

— En parlant de Clifford, j'ai cru l'apercevoir près des écuries avec ses parents. Je vous conseille d'aller les retrouver et de régler vos problèmes personnels loin des oreilles indiscrètes. Une fois passé ce mauvais moment, vous pourrez profiter à loisir du reste de la soirée.

— Profiter de la soirée ? répéta-t-elle d'un air de doute. Il faudrait que je boive autre chose que du jus de fruits pour trouver le moindre motif d'amusement.

Elle embrassa la salle d'un regard circulaire et décida de suivre le conseil de son amie.

— Vous avez raison, Stéphanie, déclara-t-elle en reposant son verre. Je ne pourrai calmer mes nerfs avant de m'être expliquée une bonne fois pour toute avec Clifford.

Mais elle restait sur place, comme si son corps refusait de lui obéir.

— Allons, Victoria, un peu de courage !

Affichant sur son visage un sourire de circonstance, Victoria traversa la salle et se dirigea d'une démarche pesante vers la sortie. Dehors, les étoiles et la lune projetaient une lueur argentée sur la pelouse et les massifs de fleurs. Dans le lointain, la sirène d'un bateau déchirait le silence de la nuit.

Le souffle court, Victoria prit le chemin qui

conduisait aux écuries. Soudain, elle sentit une main tirailler l'étoffe de son châle. Elle se retourna et tenta de se libérer.

— Victoria ?

Elle reconnut aussitôt la voix de son interlocuteur.

— Devon ?

Quand ses yeux se furent habitués à l'obscurité, elle discerna les traits familiers du jeune homme.

— Eh bien ! s'exclama-t-il joyeusement. Votre réception semble être une parfaite réussite. J'ai dénombré une bonne centaine de voiture devant le château.

Les sourcils froncés, elle contempla ses cheveux ébouriffés, sa cravate défaite et son col largement ouvert. Il semblait avoir bu plus que de raison. Elle ne savait si elle devait le sermonner ou l'accueillir avec indulgence.

— J'ai l'impression que vous avez déjà bien entamé la soirée, Devon.

Il haussa légèrement les épaules et sortit un paquet de chewing-gum de sa poche.

— Oui... euh, pardonnez-moi, Victoria. J'avais les idées noires depuis quelques jours et j'ai dû forcer un peu trop sur la bouteille de whisky.

— Pourquoi ne pas m'avoir téléphoné ? Je sais mieux que personne ce que sont les idées noires. J'aurais pu vous aider.

Il passa un bras sur ses épaules et l'entraîna un peu plus loin. Après quelques pas, il marqua une halte et l'obligea à se serrer contre lui. D'une main il se mit à lui caresser tendrement le dos,

tandis que de l'autre il lui maintenait la nuque.
Ce soir-là, Devon ne se contenterait pas d'une
simple démonstration d'amitié. Il voulait autre
chose, autre chose que la jeune femme ne pouvait
lui offrir.

— Devon...

Elle le repoussa légèrement.

— Victoria, fit-il d'une voix rauque. Je pars
demain pour le Moyen-Orient. Je ne pouvais
partir avant de vous avoir parlé.

Mais il se mit à embrasser les bras qui
essayaient vainement de le repousser. L'alcool lui
faisait oublier toute mesure.

— Je sais que vous ne m'aimez pas, souffla-t-il
à son oreille. Mais je voudrais vous épouser. Je
serais un père merveilleux pour l'enfant que vous
portez. Et Clifford ne connaîtrait jamais la
vérité...

— Devon !

La discussion avait pris un tour dangereux.
Elle tenta de se dégager de son étreinte, mais il
refusa de la laisser partir.

— N'épousez pas Clifford, implora-t-il d'un
ton désespéré.

Ses mains caressaient éperdument son dos.

— Venez avec moi. Je vous promets de vous
rendre heureuse.

Soudain, une voix terrible retentit tout près
d'eux.

— Je te conseille de la lâcher, Devon !

Devon jeta un rapide coup d'œil sur la silhouette menaçante de son frère. Mais ses mains

continuaient à emprisonner la taille de la jeune femme. Un peu plus loin, Victoria crut apercevoir Madeline Pennington qui s'avançait au bras de son époux.

— Oh, bonsoir maman, lança Devon à l'adresse de sa mère. Je te cherchais justement.

D'un seul regard, Madeline comprit ce qui se passait.

— Devon, tu as bu, fit-elle, les sourcils froncés.

Le jeune homme laissa échapper un petit ricanement.

— C'est possible, marmonna-t-il. Clifford, je suis désolé, mais...

— Je te répète de la lâcher ! ordonna le notaire en s'approchant d'un pas.

Victoria tremblait de la tête aux pieds. Elle ressentit un profond soulagement en voyant Ethan Pennington se porter aux côtés de Devon.

— Pourquoi faudrait-il que je la lâche ? rétorqua ce dernier d'un air de défi. Pour que tu la fasses pleurer une fois de plus ?

Une veine battait à la tempe de Clifford. Puis, d'un seul coup, sa physionomie se transforma. Il se mit à sourire et donna une tape amicale à l'épaule de son frère.

— Allons, Devon, sois raisonnable. Papa va te ramener à la maison.

Mais le jeune homme refusait de l'écouter.

— Tu ne la connais même pas, lança-t-il d'une voix amère. C'est à moi qu'elle vient confier ses problèmes. Où étais-tu chaque fois qu'elle a eu besoin d'un peu de tendresse et de réconfort ?

Bien sûr, l'enfant qu'elle porte est de toi, mais savais-tu seulement qu'elle était enceinte?

Le petit cri de Madeline tira Victoria de sa torpeur. Au même instant, le poing de Clifford s'abattit avec force sur la mâchoire de Devon. Sans le secours de son père, il se serait effondré de tout son long sur le sol.

— Je n'ai pas élevé mes fils comme des bêtes sauvages! s'exclama Ethan Pennington avec colère. Je t'en prie, Clifford, calme-toi!

Mais cette invocation n'était pas nécessaire. Déjà Clifford regrettait la brutalité de son acte. D'une main tremblante, Devon sortit un mouchoir de sa poche et essuya son nez inondé de sang.

L'intervention énergique de Madeline mit un terme à l'espèce de torpeur hébétée qui s'était emparée de tous les témoins du drame.

— Ethan, ramène Devon à la maison avant qu'il n'attire l'attention des autres invités. Je m'arrangerai pour rentrer un peu plus tard.

Le vieil homme glissa un bras sous les épaules de son fils et l'entraîna vers sa voiture.

— Quant à toi, Clifford, poursuivit Madeline d'un ton sévère, je te conseille de retrouver ton sang-froid avant de reparaître à ma vue. Je me charge de Victoria.

Elle prit la main de la jeune femme.

— Où puis-je vous conduire sans risquer d'éveiller la curiosité de vos hôtes? questionna-t-elle avec douceur.

— Par là, répondit Victoria, le cœur empli de gratitude. Dans ma chambre.

Clifford les regarda partir sans essayer de les retenir. La nouvelle de sa paternité l'avait totalement anéanti.

Sitôt arrivée dans la chambre, Madeline ôta le châle des épaules de Victoria et le posa sur le lit. Puis elle trouva le chemin de la salle de bains et en rapporta un verre d'eau.

Victoria en avala un gorgée et tenta de reprendre ses esprits. Que savait la mère de Clifford de leur relation ? Le jeune homme lui avait-il fait part de leurs projets ?

Un long silence s'établit entre les deux femmes. Ce fut Madeline qui le rompit la première.

— Avant de parler de Clifford et de vous, je voudrais tout d'abord m'excuser de la conduite absurde que j'ai eu lors de notre première rencontre. La mort de Lisa a laissé en moi des marques indélébiles. Ce n'est certes pas une excuse suffisante, mais...

Victoria lissait nerveusement les mèches de cheveux qui retombaient sur son front.

— Je comprends la douleur que vous a causé la disparition de votre fille. Et je sais ce qu'est la douleur. La vie ne m'a pas beaucoup épargnée depuis quelques années. C'est pourquoi je me sens coupable de...

La mère de Clifford l'interrompit.

— Surtout n'ayez aucun remords vis-à-vis de Faye...

— Pourtant, nous l'avons fait souffrir.

Madeline exhala un bref soupir.

— Lorsque vous aurez vécu aussi longtemps que moi, vous saurez que seule la passion peut détruire un être humain. J'ai toujours su qu'entre Faye et Clifford, cette passion n'existait pas. J'aurais dû les mettre en garde dès le début contre ce projet de mariage. Je ne l'ai pas fait... par égoïsme sans doute. Et Clifford s'est fiancé avec elle par amour pour moi. Ne vous inquiétez pas pour Faye, elle surmontera vite sa déception.

Choisissant ses mots avec soin, Victoria murmura :

— Clifford m'a demandé de l'épouser... Il vous en a parlé ?

Madeline se leva et se mit à arpenter lentement la pièce.

— Non, répondit-elle. Mais j'ai tout de suite compris qu'il vous aimait. Et plus il s'éprenait de vous, plus il s'éloignait de nous et de Faye.

La jeune femme fronça les sourcils.

— Il m'est difficile de vous parler librement de notre relation. C'est un être si complexe. J'espère seulement que...

Un coup léger frappé à la porte l'empêcha d'achever sa phrase. Elle alla ouvrir et se trouva nez à nez avec Clifford.

— Voilà notre champion de boxe ! s'exclama Madeline. Entre, si tu as le courage de te montrer après le déplorable spectacle que tu nous as offert.

Sous ses reproches, on devinait tout l'amour qu'elle lui portait. Clifford referma la porte derrière lui et posa ses deux mains sur les épaules de Victoria.

— Comment vous sentez-vous ? s'enquit-il avec douceur.

— Et vous ?

Sans répondre, il la serra dans ses bras.

— Devon disait la vérité, n'est-ce pas ? Vous portez... vous portez mon enfant ?

Victoria sentit le rouge envahir ses joues.

— J'essaie depuis des jours de vous l'avouer. Mais je... enfin, nos relations prenaient un tour si déplaisant...

— Ce n'est pas votre faute, dit-il rapidement.

— Oh si, je me suis conduite comme une enfant.

Elle se blottit tendrement contre son épaule et ils restèrent un long moment enlacés. Un mouvement discret de Madeline les ramena à la réalité.

— Je vous laisse, dit-elle en marchant vers la porte. Vous avez sans doute beaucoup de choses à vous dire. Je voudrais simplement vous souhaitez tout le bonheur possible.

Victoria la regarda disparaître avec une lueur de compassion dans le regard.

— La rupture de vos fiançailles a dû lui infliger une profonde déception, observa-t-elle après son départ.

Clifford lui sourit.

— Elle s'en remettra très vite. Notre mariage n'aura aucune incidence sur son amitié avec Faye. Et je crois qu'elle vous aime déjà. Au lieu d'avoir une fille, elle en aura deux. Rien ne pourrait la rendre plus heureuse.

Soudain, un peur inexplicable noua la gorge de la jeune femme.

— Et vous, Clifford, notre mariage vous rendra-t-il heureux ?

— Je vous interdis d'en douter. Je puis vous affirmer qu'il fera de moi le plus heureux des hommes.

Toujours inquiète, Victoria se dégagea de son étreinte et recula de quelques pas.

— Je ne voudrais pas que vous m'épousiez à cause de l'enfant que je porte. Vous savez, je pourrais fort bien me débrouiller sans vous.

En trois enjambées, Clifford franchit la distance qui les séparait. Il l'attira contre lui et la couvrit de baisers.

— Victoria, écoutez-moi bien, dit-il au bout de quelques instants. J'ai plusieurs choses importantes à vous dire.

— Je vous écoute, assura-t-elle d'une voix enrouée.

— Vous devez savoir que lorsque je suis loin de vous, ma vie devient un véritable cauchemar. Sans vous, plus rien n'a de sens. Et si je désire passer le reste de mes jours à vos côtés, ce n'est certainement pas à cause du bébé. Je vous aime, mon amour. Vous êtes ce que je possède de plus précieux au monde.

Sur ces mots, il l'obligea à reculer et à s'étendre sur le canapé. Sans se soucier de ses protestations, il l'embrassa longuement, comme s'il cherchait à lui apporter une preuve irréfutable de son amour.

— Clifford, cette maison est pleine de visiteurs !

— Alors, dépêchez-vous de me rendre mes baisers !

— Et vous avez froissé ma jolie robe...

— Ce n'est pas cela qui ternira votre beauté.

Il allait poursuivre quand derrière la porte, une voix l'interrompit.

— Victoria, vous êtes là ?

Stéphanie martelait le battant avec insistance. Clifford se redressa sur un coude et remit un peu d'ordre dans ses cheveux.

— Oui, Stéphanie, répondit-il. Qu'y a-t-il ?

Les deux jeunes gens mirent à profit le long silence qui suivit ces paroles pour rajuster leurs vêtements. Puis le jeune homme avança vers la porte et l'ouvrit.

— Ah... euh... bonjour, balbutia la visiteuse. Il y a une urgence dans la cuisine, monsieur Pennington.

— Oh ?

— Oui, le four... Le thermostat est de nouveau en panne. Ce n'est pourtant pas le jour.

Avec assurance, Clifford referma le col de sa chemise.

— Victoria, ma chérie ? fit-il en se tournant vers sa compagne.

La jeune femme aspira une longue bouffée d'air.

— Oui... Oh, entrez, Stéphanie, je vous en prie.

— Non ! Enfin, je veux dire... Ce n'est pas nécessaire. Mamie est dans tous ses états et refuse de laisser Bud approcher du four. Elle prétend que s'il le touche, tout va exploser.

— Dites à Mamie que j'arrive tout de suite, glissa Clifford avec un sourire charmeur.

Et, sans autre forme de procès, il referma la porte sur le visage ébahi de Stéphanie.

— Je viens avec vous, décréta Victoria en s'installant devant sa coiffeuse pour remettre un peu de rouge sur ses lèvres.

Clifford se pencha au-dessus d'elle.

— C'est inutile, je peux très bien régler moi-même ce problème.

Victoria repoussa sa chaise et se leva.

— Je n'en doute pas, répondit-elle. Mais je suis la directrice de cette école et je tiens à être au courant de tout ce qui s'y passe.

Une nouvelle fois, il la prit dans ses bras.

— Vous m'avez dit un jour que Brayntree était la chose la plus importante à vos yeux, lui rappela-t-il en caressant tendrement sa joue.

Le visage de Victoria rayonnait de bonheur.

— Il y a longtemps de cela, dit-elle. Aujourd'hui, j'ai d'autres désirs et...

— Par exemple ?

Elle réfléchit un instant avant de répondre joyeusement :

— Eh bien, je veux une bague de fiançailles, couverte de diamants. Et puis une nouvelle voiture. Je ne puis continuer à rouler dans cette jeep délabrée. Je crois aussi qu'il faudra installer un nouveau four pour Mamie. Bien sûr, il y a également la plomberie...

Il posa l'index sur sa bouche pour lui intimer le silence.

— Chut ! Vous aurez votre bague, ainsi que votre voiture. Pour le reste, il faudra montrer un peu de patience.

— La patience n'a jamais été ma principale qualité, Clifford.

Il lui prit la main et l'entraîna dans le couloir. Des cris joyeux montaient du rez-de-chaussée.

— Aujourd'hui, Brayntree a perdu beucoup de son intérêt pour moi, poursuivit la jeune femme. Vous êtes là désormais, et cela suffit à mon bonheur.

Une lueur malicieuse traversa le regard de son compagnon.

— Je vois que vous savez vous y prendre. Votre nouvelle voiture vous sera livrée demain, avant midi !

Collection Harlequin

Les chefs-d'oeuvre du roman d'amour

Recevez chez vous 6 nouveaux livres chaque mois... et les 4 premiers sont GRATUITS!

Associez-vous avec toutes les femmes qui reçoivent chaque mois les romans Harlequin, sans avoir à sortir de chez vous, sans risquer de manquer un seul titre.

Des histoires d'amour écrites pour la femme d'aujourd'hui

C'est une magie toute spéciale qui se dégage de chaque roman harlequin. Ecrites par des femmes d'aujourd'hui pour les femmes d'aujourd'hui, ces aventures passionnées et passionnantes vous transporteront dans des pays proches ou lointains, vous feront rencontrer des gens qui osent dire "oui" à l'amour.

Que vous lisiez pour vous détendre ou par esprit d'aventure, vous serez chaque fois témoin et complice d'hommes et de femmes qui vivent pleinement leur destin.

Une offre irrésistible!

Recevez, *sans aucune obligation de votre part*, quatre romans Harlequin tout à fait *gratuits!*

Et nous vous enverrons, chaque mois suivant, six nouveaux romans d'amour, au bas prix de $1.75 chacun (soit $10.50 par mois) sans frais de port ou de manutention.

Mais vous ne vous engagez à rien: vous pouvez annuler votre abonnement à tout moment, quel que soit le nombre de volumes que vous aurez achetés. Et, même si vous n'en achetez pas un seul, vous pourrez conserver vos 4 livres gratuits!

✂

Achevé d'imprimer en février 1986
sur les presses de l'Imprimerie Bussière
à Saint-Amand-Montrond (Cher)

— N° d'imprimeur : 3210. —
— N° d'éditeur : 1014. —
Dépôt légal : mars 1986.

Imprimé en France